25.12.09

Micaela Brackett

Quién es Jesús y qué significa conocerlo

Cristianismo Básico

John Stott

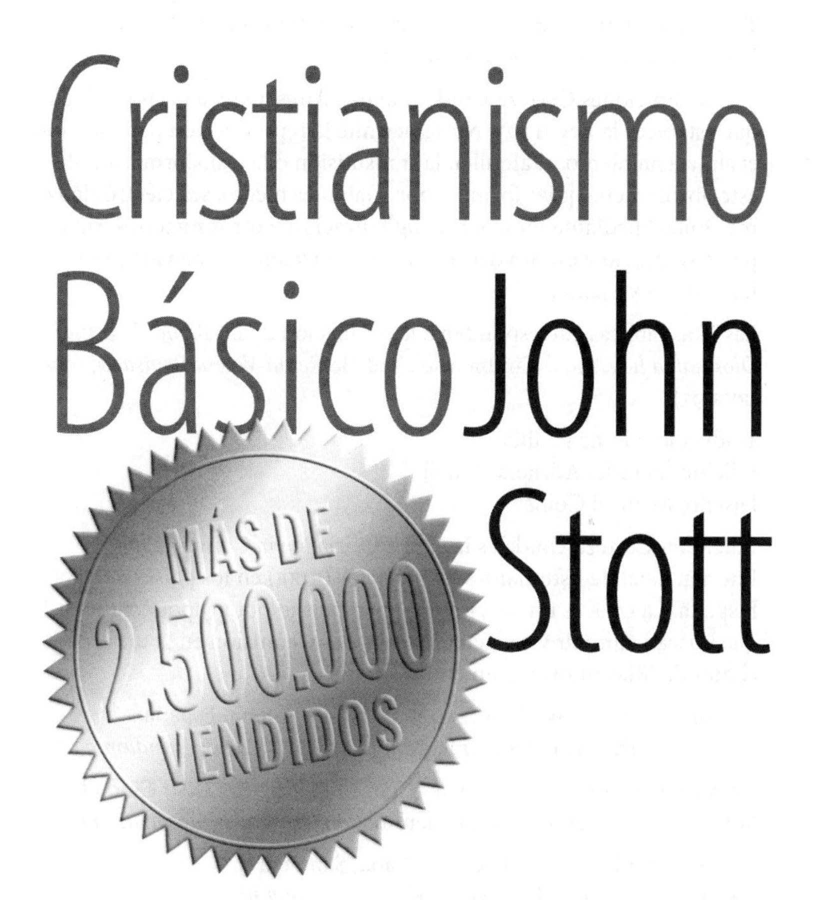

Ediciones Certeza Unida
Barcelona, Buenos Aires, La Paz
2007

Stott, John
Cristianismo básico. – 4ª ed. – Buenos Aires : Certeza Unida, 2007.
240 p. ; 23x16 cm.

Traducido por: René Padilla

ISBN 978-950-683-127-1

1. Estudios Bíblicos. I. Powell, Adriana, ed. lit.
II. Padilla, René, trad. III. Título
CDD 220.6

Las citas bíblicas corresponden a la traducción de *La Biblia de Estudio: Dios habla hoy*, 1994. También se citada la *Reina Valera Revisada*, 1995 (RVR 95)

Traducción: René Padilla
Edición literaria: Adriana Powell
Diseño: Michael Collie

Ediciones Certeza Unida es la casa editorial de la Comunidad Internacional de Estudiantes Evangélicos (CIEE) en los países de habla hispana. La CIEE es un movimiento compuesto por grupos estudiantiles que buscan cumplir y capacitar a otros para la misión en la universidad y el mundo. Más información en:

Andamio, Alts Forns 68, Sótano 1, 08038, Barcelona, España.
editorial@publicacionesandamio.com | *www.publicacionesandamio.com*

Certeza Argentina, Bernardo de Irigoyen 654, (C1072AAN) Ciudad Autónoma de Buenos Aires, Argentina. *certeza@certezaargentina.com.ar*

Lámpara, Calle Almirante Grau Nº 464, San Pedro,
Casilla 8924, La Paz, Bolivia. *coorlamp@entelnet.bo*

Impreso en Colombia. Printed in Colombia.

Contenido

Prefacio a la edición castellana

Desde su publicación inicial esta obra ha sido traducida a casi una veintena de idiomas, entre ellos el árabe, el francés, el japonés, el italiano, el alemán, el vietnamita y el portugués. Su autor también ha logrado ser conocido ampliamente. Sus muchos libros (varios de los cuales han sido traducidos al castellano) y sus frecuentes viajes lo han proyectado en el nivel mundial como uno de los máximos exponentes del pensamiento evangélico. Une a la erudición el don de la sencillez y la claridad, cualidades que también caracterizan a su persona cuando actúa como capellán de la reina de Inglaterra o cuando conversa con un estudiante chino, egipcio, venezolano o canadiense. Nos complace poner en manos del lector esta obra que combina las dotes del autor y por medio del cual muchas personas en diferentes lugares del mundo han llegado al conocimiento personal de Jesucristo.

Los editores

Prefacio del autor

'Hostil con la iglesia, amigable con Jesucristo.' Estas palabras describen a mucha gente hoy, especialmente a personas jóvenes.

Se oponen a cualquier cosa que les huela a institucionalismo. Detestan el sistema de poder y sus privilegios inamovibles. Y rechazan a la iglesia —no sin cierto justificativo— porque la consideran intolerable, corrompida como está por aquellos males.

Sin embargo, el objeto de su rechazo es la iglesia, no Jesucristo mismo. Su actitud crítica y su indiferencia se deben precisamente a que ven una contradicción entre el fundador del cristianismo y la situación actual de la iglesia fundada por él. Pero la persona y enseñanza de Jesús no han perdido su atractivo. Por un lado, el propio Jesús se opuso al poder institucional y algunos de sus dichos tenían una nota revolucionaria. Al parecer sus ideales eran incorruptibles. Respiraba amor y paz dondequiera que fuese. Por otra parte, invariablemente practicaba lo que predicaba.

Pero, ¿cuál es la *verdad* en cuanto a él?

Muchas personas en todo el mundo todavía crecen en hogares cristianos en los cuales se da por sentado que el cristianismo es la verdad. Pero con el tiempo, cuando desarrollan sus facultades intelectuales, comienzan a pensar por su cuenta, y les resulta más fácil echar por la borda la religión de su niñez que esforzarse por investigar las bases de la misma.

Muchas otras personas no crecen en un ambiente cristiano. En su lugar absorben la enseñanza del espiritismo, el secularismo humanista, el marxismo o el existencialismo.

Pero ambos grupos, si leen acerca de Jesús, hallan que éste ejerce sobre ellos una fascinación que no les es fácil eludir.

Así, pues, nuestro punto de partida es la figura histórica de Jesús de Nazaret. No hay una base razonable para dudar de su existencia. Su historicidad encuentra apoyo en escritores paganos y escritores cristianos.

Dígase lo que se diga acerca de él, el hecho es que fue un ser humano en toda la extensión de la palabra. Nació, creció, trabajó y transpiró, descansó y durmió, comió y bebió, sufrió y murió como todos los hombres. Tuvo un cuerpo realmente humano y emociones verdaderamente humanas.

Pero, ¿podemos creer que también fue en algún sentido 'Dios'? ¿No es la deidad de Jesús más bien una pintoresca superstición cristiana? ¿Hay evidencia alguna que apoye la sorprendente afirmación de que el carpintero de Nazaret fue el Hijo unigénito de Dios?

Esta pregunta es fundamental. No podemos eludirla. Tenemos que ser honestos. Si Jesús no fue Dios en forma humana, entonces el cristianismo está terminado. Lo que nos queda de él es sólo otra religión con algunas ideas hermosas y una ética noble. Su característica distintiva habrá desaparecido.

Sin embargo, *hay* evidencias de la deidad de Jesús: evidencias buenas, sólidas, históricas y considerables; evidencias que la persona honesta puede acatar sin cometer suicidio intelectual. Están las pretensiones de Jesús relativas a sí mismo, tan atrevidas y, sin embargo, tan modestas. Está también su carácter incomparable. Su fortaleza y su gentileza, su rectitud insobornable y su compasión tierna, su cariño por los niños y su amor a los marginados, su dominio de sí mismo y su sacrificio despiertan la admiración de todos. Lo que es más, su muerte vil no fue su fin: se argumenta que resucitó, y la evidencia de su resurrección es de lo más convincente.

Suponiendo que Jesús fuera el Hijo de Dios, ¿es el cristianismo básico la mera aceptación de este hecho? No. Una vez que estemos persuadidos de la deidad de Jesús, tenemos que examinar la naturaleza de su obra. ¿Para qué vino a este mundo? La respuesta bíblica es que 'vino a buscar y a salvar lo que estaba perdido'. Jesús de Nazaret es el Salvador enviado del cielo, el Salvador que nosotros necesitamos. Necesitamos ser perdonados y restaurados a la comunión con Dios —el Dios santo— de quien nos han separado nuestros pecados. Necesitamos ser librados del egoísmo y recibir la fortaleza para vivir según nuestros ideales. Necesitamos aprender a amarnos los unos a los otros, tanto a los amigos como a los enemigos. Este es el significado de la 'salvación'. Esto es lo que Cristo vino a conquistar para nosotros mediante su muerte y resurrección.

'Él vino a buscar y a salvar lo que estaba perdido.'

Entonces, ¿es el cristianismo básico la creencia de que Jesús es el Hijo de Dios que vino para ser el Salvador del mundo? No. Ni siquiera es eso. No basta admitir su deidad, reconocer la necesidad que el ser humano tiene de salvación y creer en la obra salvadora de Cristo. El cristianismo no es sólo un credo: supone acción. Nuestra creencia intelectual puede ser intachable, pero tenemos que traducir nuestras creencias en hechos.

¿Qué debemos hacer entonces? Tenemos que comprometernos con Jesucristo, y comprometernos de todo corazón, con todo lo que somos y tenemos, sin reservas, personalmente. Tenemos que humillarnos delante de él. Tenemos que confiar en él como *nuestro* Salvador y someternos a él como *nuestro* Señor, y luego tomar nuestro puesto como miembros fieles de la iglesia y ciudadanos responsables en la sociedad.

Esto es el cristianismo básico, y es el tema de este libro. Pero antes de examinar la evidencia de la deidad de Jesucristo, es necesario un capítulo sobre el acercamiento correcto. La convicción cristiana es que podemos encontrar a Dios en Jesucristo. Examinar esta certeza nos ayudará a darnos cuenta de que Dios mismo nos está buscando y nosotros debemos buscar a Dios.

John Stott

Guía de estudio
Introducción

Cristianismo básico presenta un rico material que difícilmente se asimilará sin una reflexión detenida y una consecuente revisión de la vida. Por ello incluimos esta guía que puede ayudar a profundizar la lectura y a vincularla con las vivencias particulares de los lectores.

El estudio puede hacerse individualmente o en grupos. La guía puede ser utilizada por el líder de un grupo de creyentes que deseen entender mejor en quién y por qué creen, o por un cristiano que desea reunirse con amigos no cristianos interesados en el evangelio. La mayoría de las preguntas se basan en el texto de la obra, pero otras demandan consideración especial sobre la base de otras lecturas.

A fin de que las discusiones sean del máximo provecho, se hacen las siguientes recomendaciones:

1. Pide a los miembros del grupo que en el transcurso de la semana lean el capítulo que se ha de discutir. Durante la reunión es imposible dedicar tiempo a la lectura y si los participantes no han leído el capítulo previamente, la discusión les será de poca ayuda.

2. Dedica por lo menos dos horas a la preparación de cada estudio. No improvises.

3. Trata de familiarizarte con la bibliografía adicional que se sugiere, relacionada con cada capítulo.

4. Asesórate sobre la coordinación de grupos. Los siguientes libros pueden ayudarte:

El estudio bíblico creativo, Ada Lum, Ruth Siemens, Ediciones Certeza, 1977.

La aventura de estudiar la Biblia, Carlos Yabraian, Certeza Argentina, 1997.

Manual para el líder de grupos, Teresa Blowes, Certeza Argentina, 2003.

5. Recuerda que aprendemos más cuanto más nos comprometemos en el descubrimiento. Anima a que la gente piense. Dales espacio para expresar dudas y no insistas siempre en tener 'la respuesta correcta'.

6. Procura servir como facilitador de un proceso por medio del cual los participantes comprometan su mente, sus emociones y su voluntad en la búsqueda de Dios.

Guía de estudio

Encuentro de apertura

Preparación El libro *Fuera del salero para servir al mundo* (Rebeca Manley Pippert, Certeza Unida, 2004, capítulos 9 y 10) te ayudará a entender los diversos niveles de motivación, interés y compromiso en la búsqueda de Dios que verás representados en el grupo.

Durante el encuentro

1. Un buen disparador antes de comenzar a estudiar puede ser mirar en VHS o DVD *La vida de Jesús en el Evangelio de Mateo*, La Biblia visual, Thomas Nelson.

2. Compartan libremente qué mueve a los participantes a estudiar este libro. Pidan a Dios que su Espíritu se haga presente en el proceso de lectura y reflexión individual y grupal para que verdaderamente haya comprensión y cambio.

3. Explica la dinámica de lectura y preparación personal y del trabajo grupal. Aclara expectativas y definan el horario del próximo encuentro.

Para el próximo encuentro Leer el capítulo 1 de *Cristianismo básico*.

1

Cómo encarar el problema

En el principio creó Dios. Estas son las primeras palabras de la Biblia. Pero son más que la introducción al relato de la creación o del libro del Génesis. Son la llave que abre nuestra comprensión de la totalidad de la Biblia. Nos dicen que la religión de la Biblia es la religión de la iniciativa de Dios.

Nunca podemos tomar a Dios por sorpresa. Nunca podemos anticiparnos a él. Él da siempre el primer paso; está 'en el principio'. Antes que el hombre existiera, Dios actuó. Antes que el ser humano tratara de buscarlo, él ya lo había buscado. La Biblia no muestra al hombre tanteando para encontrar a Dios, sino a Dios yendo en pos del hombre.

Hay personas que imaginan a un dios sentado cómodamente en un alto trono, distante, separado, desinteresado e indiferente a las necesidades de los mortales, hasta que los gritos constantes de éstos lo sacan de la modorra en la que vive, y resuelve intervenir en su favor. Tal concepto es falso. La Biblia revela a un Dios que toma la iniciativa, se levanta de su sitial, deja su gloria, desciende y se humilla para buscar al hombre, mucho antes de que a éste, que se encuentra envuelto en la oscuridad y hundido en el pecado, se le ocurra volverse a él.

Esta actividad soberana y anticipada de Dios se da a conocer de varias maneras. Tomó la iniciativa en *la creación*, cuando formó el universo y todo cuanto en él hay: 'En el comienzo de todo, Dios creó el cielo y la tierra' (Génesis 1.1). Tomó la iniciativa en *la revelación*, cuando hizo conocer a la humanidad su naturaleza y voluntad: 'En tiempos antiguos Dios habló a nuestros antepasados muchas veces y de muchas maneras por medio de los profetas. Ahora, en estos tiempos últimos, nos ha hablado por su Hijo' (Hebreos 1.1–2). Tomó la iniciativa en *la salvación* cuando vino en Cristo Jesús para librar a los hombres de su pecado: 'Dios ... ha venido a rescatar a su pueblo' (Lucas 1.68).

Dios creó. Dios habló. Dios actuó. Estas declaraciones de la iniciativa de Dios en tres formas distintas constituyen el resumen de la religión de la Biblia. En este libro nos concentraremos en la segunda y tercera de ellas, ya que el cristianismo básico por definición comienza con la figura histórica de Jesucristo. Si Dios habló, Jesucristo es su palabra más grande y final. Si Dios actuó, su hecho más noble es la redención del mundo realizada por medio de Jesucristo.

Dios habló y actuó en Jesucristo. Dijo algo. Hizo algo. Esto quiere decir que el cristianismo no es simple parlería piadosa. No es una colección de ideas religiosas. No es un catálogo de reglamentos. Es un 'evangelio', o sea, buenas nuevas, buenas noticias. En palabras de Pablo, es 'el mensaje que trata de su Hijo Jesucristo, nuestro Señor' (Romanos 1.3). No es, en primer lugar, una invitación al hombre para que haga algo: es la declaración suprema de lo que Dios hizo en Cristo para los seres humanos.

Dios ha hablado

El ser humano es una criatura insaciablemente inquisidora. Su mente está conformada de tal modo que no puede permanecer en reposo. Siempre investiga lo desconocido. Persigue el conocimiento sin tregua ni descanso. Su vida es un viaje de descubrimientos. Siempre pregunta, explora, analiza, investiga. Nunca se cansa de preguntar como cuando niño: '¿Por qué?'

Ahora bien, cuando la mente humana comienza a preocuparse de Dios, se desconcierta. Tantea en la oscuridad. Tropieza.

Esto no debe sorprendernos, ya que Dios, quienquiera o cualquier cosa que sea, es infinito, mientras que nosotros somos criaturas finitas. Él está totalmente fuera de nuestro alcance. Por lo tanto, la mente no puede ayudarnos de inmediato sobre este particular, a pesar de que resulta un instrumento maravillosamente efectivo en el campo de las ciencias empíricas. No puede subir hasta la mente infinita de Dios. No hay escalera para que lo haga; sólo hay un golfo vasto, inconmensurable. '¿Crees que puedes penetrar en los misterios de Dios y llegar hasta lo más profundo de su ser?', le preguntaron a Job (Job 11.7). Es imposible.

El ser humano no consigue conocer a Dios por medio de la razón humana sino por la revelación divina.

Y esta situación hubiera permanecido tal cual, si Dios no hubiese tomado la iniciativa para remediarla. El hombre hubiera permanecido para siempre como un agnóstico impotente, preguntando como Poncio Pilato: '¿Y qué es la verdad?' (Juan 18.38), pero nunca esperando una respuesta, por no atreverse nunca a esperarla. Sería un adorador, porque el serlo está en su naturaleza; pero en todos sus altares habría una inscripción como la que Pablo encontró en Atenas: 'A un Dios no conocido' (Hechos 17.23).

Sin embargo, Dios ha hablado. Ha tomado la iniciativa para revelarse a sí mismo. Ahora comprendemos que la doctrina cristiana de la revelación es esencialmente razonable. Dios ha 'descubierto' ante nuestra mente lo que de otro modo hubiera permanecido cubierto, escondido. Una parte de la revelación de Dios la encontraremos en la naturaleza:

> El cielo proclama la gloria de Dios;
> de su creación nos habla la bóveda celeste.
>
> Salmo 19.1

> Lo que de Dios se puede conocer, ellos lo conocen
> muy bien, porque él mismo se lo ha mostrado;

> pues lo invisible de Dios se puede llegar a conocer, si se reflexiona en lo que él ha hecho. En efecto, desde que el mundo fue creado, claramente se ha podido ver que él es Dios y que su poder nunca tendrá fin.
>
> Romanos 1.19–20

Esto es lo que comúnmente se llama 'revelación general' (ya que ha sido dada a todos los hombres en todo lugar) o 'natural' (ya que está en la naturaleza). Pero esto no basta. Es indudable que hace conocer a todos los hombres su existencia y algo de su divino poder, de su gloria y fidelidad. Pero si el ser humano ha de conocer personalmente a Dios, si ha de alcanzar el perdón de sus pecados y entrar en comunión con Dios, necesita otra clase de revelación, más íntima y más práctica. La revelación que Dios hace de sí mismo necesita incluir su santidad, su amor y su poder para salvar del pecado. Esto también le ha agradado a Dios revelar, y es lo que se llama 'revelación especial' ya que fue dada a un pueblo especial (Israel) por medio de mensajeros especiales (los profetas en el Antiguo Testamento y los apóstoles en el Nuevo).

Es también una 'revelación sobrenatural', ya que fue dada por medio de un proceso generalmente denominado 'inspiración', y tuvo su expresión máxima en la persona y obra de Jesús a través de toda su vida.

El modo en que la Biblia explica y describe esta revelación es diciendo que Dios 'habló'. Cuando una persona habla, podemos conocer del modo más fácil lo que contiene su mente. Y lo que es verdad en cuanto al deseo de los hombres de comunicarse entre sí, es tanto más cierto de lo que Dios desea revelar de su mente infinita a nuestras mentes finitas. Puesto que sus pensamientos son más altos que los nuestros, del mismo modo que los cielos son más altos que la tierra, como lo expresa el profeta Isaías (Isaías 55.9), no los hubiéramos conocido si él no los hubiera revestido con palabras. Por eso 'la palabra del Señor' llegó a muchos profetas, hasta que vino Jesús, el Cristo y 'aquel que es la Palabra se hizo hombre y vivió entre nosotros' (Juan 1.14).

Igualmente el apóstol Pablo escribe a los corintios para decirles: 'Dispuso Dios en su bondad salvar por medio de su mensaje a los que tienen fe, aunque este mensaje parezca una tontería' (1 Corintios 1.21). El ser humano no consigue conocer a Dios por medio de su propia sabiduría sino por la Palabra de Dios ('su mensaje'), no por medio de la razón humana sino por la revelación divina. Y porque Dios se ha dado a conocer en Cristo, el cristiano puede decir confiadamente al agnóstico y al supersticioso, como Pablo dijo a los atenienses en el Areópago de Atenas: 'Lo que ustedes adoran sin conocer, es lo que yo vengo a anunciarles' (Hechos 17.23).

Una buena parte de la controversia entre la ciencia y la religión surgió porque no se tuvo en cuenta este punto esencial. El método científico es, en gran parte, inadecuado en la esfera religiosa. El conocimiento científico avanza empleando la observación y el experimento. Opera con los datos e informaciones que le brindan los cinco sentidos físicos. Pero cuando llegamos al terreno de lo metafísico, no hay datos inmediatamente disponibles. En la actualidad Dios no es tangible, visible o audible. Sin embargo hubo un tiempo en que él dispuso hablar y revestirse de un cuerpo que podía verse y palparse. Por eso el apóstol Juan comienza su primera carta con esta afirmación: 'Les escribimos a ustedes acerca de aquello que ya existía desde el principio, de lo que hemos oído y de lo que hemos visto con nuestros propios ojos. Porque lo hemos visto y lo hemos tocado con nuestras manos' (1 Juan 1.1).

Dios ha actuado

Las buenas nuevas del evangelio cristiano no se hallan limitadas por la declaración del hecho de que Dios habló. También aseveran que él ha actuado.

Dios tomó la iniciativa en los dos casos debido al carácter de la necesidad del ser humano. No sólo somos ignorantes.

Somos pecadores. Por eso no basta que Dios se haya revelado a sí mismo para visitar nuestra ignorancia. Tuvo que tomar, además, la iniciativa de actuar para salvarnos de nuestros pecados. Comenzó en los tiempos del Antiguo Testamento. Llamó a Abraham desde Ur de los caldeos, haciendo una nación de él y de sus descendientes, librando a éstos de la esclavitud de Egipto, haciendo un pacto con ellos en el Monte Sinaí, dirigiéndolos a través del desierto a la tierra prometida, guiándolos y enseñándoles como pueblo suyo.

Pero todo esto fue simplemente una preparación para la obra mayor de redención en Cristo. Los hombres necesitaban ser liberados, no de la esclavitud de Egipto o del destierro babilónico, sino del exilio y la esclavitud del pecado. Fue por eso principalmente que Jesucristo vino. Lo hizo como Salvador.

> Le pondrás por nombre Jesús. Se llamará así porque salvará a su pueblo de sus pecados. Mateo 1.21

> Esto es muy cierto, y todos deben creerlo: que Cristo Jesús vino al mundo para salvar a los pecadores, de los cuales yo soy el primero. 1 Timoteo 1.15

> Pues el Hijo del hombre ha venido a buscar y salvar lo que se había perdido. Lucas 19.10

Él es como el pastor que perdió una de las ovejas de su rebaño y salió a buscarla por los montes hasta que la encontró (Lucas 15.3-7).

El cristianismo es una religión de salvación. No hay nada en las demás religiones del mundo que pueda compararse con el mensaje de un Dios que ama, va en busca de un mundo de pecadores perdidos y muere por él.

La respuesta del hombre

Dios habló. Dios obró. El relato y la interpretación de esas palabras y hechos divinos se encuentran en la Biblia. Para muchas personas, se quedarán allí. Para ellas, lo que Dios dijo e hizo pertenece a la historia, pero no ha pasado de la historia a la experiencia, de la Biblia a la vida. Dios habló: ¿hemos escuchado su Palabra? Dios obró: ¿nos hemos beneficiado de lo que hizo?

En el resto de este libro se explicará lo que debemos hacer. Por el momento es necesario poner énfasis en una sola cosa: debemos buscar. Dios nos ha buscado a nosotros. Todavía está buscándonos. Nosotros tenemos que buscar a Dios. En efecto, la queja que Dios tiene contra el hombre es que éste no lo busca.

> Desde el cielo mira el Señor a los hombres
> para ver si hay alguien con entendimiento,
> alguien que busque a Dios.
> Pero todos se han ido por mal camino;
> todos por igual se han pervertido.
> ¡Ya no hay quien haga lo bueno!
> ¡No hay ni siquiera uno! Salmo 14.2–3

Y, sin embargo, Jesús prometió: 'Busquen y encontrarán' (Mateo 7.7). Si no buscamos, no encontraremos. El pastor buscó a la oveja perdida hasta que la halló. La mujer revolvió la casa hasta que dio con la moneda extraviada. ¿Hemos de hacer menos nosotros? Dios desea ser hallado, pero lo será únicamente por aquellos que lo buscan.

Tenemos que buscar *diligentemente*. 'El hombre es tan haragán como quiere', escribió Emerson.

Pero el problema que tenemos entre manos es tan serio que es preciso vencer la pereza natural y la apatía y aplicarnos con cuerpo y alma a la búsqueda. Dios no tiene paciencia con los frívolos, Dios 'recompensa a los que lo buscan' (Hebreos 11.6).

Tenemos que buscar *humildemente*. Si la apatía es un impedimento para algunos, el orgullo es un estorbo más común y aun mayor para otros. Es preciso admitir con toda humildad que la mente que tenemos es finita e incapaz de descubrir a Dios por su propio esfuerzo, sin la revelación que él ha dado de sí mismo. Conste que no estamos diciendo que debemos suspender el pensamiento racional. Por el contrario, el salmista nos dice que no hemos de comportarnos como el caballo y el mulo que proceden sin entendimiento (Salmo 32.9). Tenemos que usar la mente, pero admitiendo sus limitaciones. Jesús dijo:

> Te alabo, Padre, Señor del cielo y de la tierra,
> porque has mostrado a los sencillos las cosas
> que escondiste de los sabios y entendidos.
>
> Mateo 11.25

Esta es una de las razones porque Jesús amó a los niños. Son permeables a la enseñanza. No son orgullosos, autosuficientes ni criticones. Necesitamos poseer la mente abierta, humilde y receptiva de los niños.

Tenemos que buscar *honradamente*. Al acercarnos a lo que pretende ser la revelación de Dios, debemos hacerlo sin orgullo, libres de prejuicios; no sólo con una mente humilde, sino también con una mente abierta. Todo estudiante sabe los problemas que acechan a quien acomete una materia con ideas preconcebidas. Y sin embargo, muchos investigadores se acercan a la Biblia con juicios ya formados. La promesa de Dios es para quienes le buscan con sinceridad. 'Me buscarán y me encontrarán, porque me buscarán de todo corazón' (Jeremías 29.13). Así, pues, tenemos que dejar a un lado los prejuicios y abrir la mente a la posibilidad de que el cristianismo sea la verdad.

Tenemos que buscar *obedientemente*. Esta es la condición más difícil de llenar. Al buscar a Dios tenemos que estar preparados no sólo a revisar nuestras ideas sino también a reformar la vida. El mensaje cristiano incluye un desafío moral. Si el mensaje es veraz, el desafío moral tiene que ser aceptado. Dios no es un objeto que el hombre pueda analizar fríamente. Uno no puede colocar a Dios al extremo de un telescopio o de un microscopio y exclamar: '¡Qué interesante!' Dios no es interesante. Dios perturba, trastorna. Sucede lo mismo con Jesucristo.

> Habíamos pensado examinar a Cristo intelectualmente, pero encontramos que es él quien nos examina a nosotros. Los papeles se invirtieron entre nosotros ... Estudiamos a Aristóteles y nos sentimos edificados intelectualmente; estudiamos a Jesús y nos sentimos, en el sentido más profundo, perturbados espiritualmente ... nos sentimos obligados a tomar frente a este Jesús alguna actitud moral en cuanto a nuestro corazón y voluntad ... Uno puede estudiar a Jesús con parcialidad intelectual, pero no puede hacerlo con neutralidad moral ... tenemos que declarar a qué bando pertenecemos. Es a esto que el contacto con Jesús, un contacto sin evasivas, nos ha llevado. Comenzamos en la calma del estudio, pero hemos descubierto que se nos conduce al terreno de la decisión moral.[1]

Esto es lo que Jesús quiso decir cuando, dirigiéndose a ciertos judíos incrédulos, les dijo: 'Si alguien está dispuesto a hacer la voluntad de Dios, podrá reconocer si mi enseñanza viene de Dios o si hablo por mi propia cuenta' (Juan 7.17). La promesa es clara, y significa que nosotros sabremos si Cristo es verdadero o falso, si sus enseñanzas son divinas o humanas. Pero la promesa descansa sobre la base de una condición moral. Tenemos que estar dispuestos no sólo a creer, sino a obedecer. Tenemos que estar preparados para obedecer la voluntad de Dios cuando él nos la dé a conocer.

Recuerdo a cierto joven que solía visitarme después de haber terminado sus estudios y comenzado a trabajar en Londres.

Según decía, había dejado de concurrir a la iglesia porque no podía repetir el Credo de los Apóstoles sin ser hipócrita. ¡Ya no creía! Una vez terminadas sus explicaciones le dije: 'Si yo pudiera contestar sus problemas a su completa satisfacción, ¿estaría usted dispuesto a cambiar su modo de vivir?' Se sonrió y se sonrojó a la vez: su problema real no era intelectual sino moral.

Al buscar a Dios tenemos que estar preparados no sólo a revisar nuestras ideas, sino también a reformar la vida.

Este es, pues, el espíritu que mueve nuestra investigación. Debemos dejar de lado la apatía, el orgullo, el prejuicio y el pecado, y buscar a Dios a pesar de las consecuencias. De todas las dificultades mencionadas que estorban la investigación efectiva, las dos últimas son las más difíciles de vencer: el prejuicio intelectual y la rebeldía moral. Las dos son expresiones de temor, y el temor es el mayor enemigo de la verdad. El temor paraliza la búsqueda. Sabemos que el encuentro con Dios y la aceptación de Jesucristo suponen una experiencia inconveniente y exigente. Suponen la reconsideración de la totalidad de la vida y el reajuste de la totalidad de nuestro modo de vivir. Y es la combinación de la cobardía intelectual y moral la que nos hace vacilar. No encontramos porque no buscamos. No buscamos porque no queremos encontrar, y sabemos que el modo efectivo para no encontrar es no buscar.

Así, pues, estimado, lector, te pido que te abras a la posibilidad de estar equivocado. Podría ser que Cristo sea la verdad. Por eso te invito a que te conviertas en un inquisidor sincero de la verdad; en un buscador diligente, humilde, honrado y obediente a Dios. Acude al libro que dice ser la revelación de Dios. Lee especialmente los Evangelios que contienen el relato de la vida de Jesucristo. Dale a Jesús la oportunidad de confrontarte y legitimarse ante ti. Ven con el pleno consentimiento de tu mente y tu voluntad, dispuesto a creer y a obedecer si Dios te convence. ¿Por qué no tomarte el trabajo de leer el Evangelio según San Juan o según San Marcos? Podrías leerlo de un solo tirón (preferentemente usando una versión moderna), a fin de recibir todo el impacto de la lectura. Después podrías leerlo de nuevo, despacio, a razón de un capítulo por día. Y antes de leer, ora, tal vez diciendo algo así:

> ***Dios, si existes (y no estoy seguro de que existas), y si puedes escuchar esta oración (y no sé si puedas), quiero que sepas que soy un buscador sincero de la verdad. Muéstrame si Jesús es tu Hijo y el Salvador del mundo. Y si tú produces convicción en mi mente confiaré en él como Salvador y lo seguiré como mi Señor.***

Nadie puede hacer esta oración y sentirse fracasado. Dios no tiene deudas con nadie. Él honra toda búsqueda sincera. Responde a todos los inquisidores honrados. Tiene comprometida su palabra en la promesa de Cristo: 'Busquen, y encontrarán.'

Guía de estudio 1
Cómo encarar el problema

Propósito Reflexionar sobre la necesidad de acercarnos a Dios para conocerlo y evaluar nuestra disposición personal para hacerlo.

Preguntas **1.** En el primer párrafo el autor dice que la 'religión de la Biblia es la religión de la iniciativa de Dios' (página 17). ¿De qué formas advertimos que Dios ha tomado la iniciativa? ¿Hemos experimentado esta iniciativa en nuestras vidas? ¿De qué maneras?

2. ¿Cómo se revela Dios? ¿Por qué fue necesaria la 'revelación especial' (páginas 19–21)?

3. ¿Por qué fue necesario que, además de hablar, Dios actuara? ¿Cuáles son las principales características de la acción de Dios (páginas 21–22)?

4. ¿Qué respuesta le corresponde al ser humano cuando se enfrenta a lo que Dios ha dicho y ha hecho? Si realmente deseamos encontrarlo, ¿cómo debe ser nuestra búsqueda de Dios (páginas 23–27)?

5. ¿Cómo fue hasta ahora nuestra búsqueda personal de Dios? ¿Por qué es importante que al buscar a Dios nos acerquemos a él de manera adecuada?

6. ¿Qué elementos nuevos aporta la lectura de este capítulo a quienes quieren conocer a Dios pero no saben cómo hacerlo?

Dedicar tiempo a la oración sobre la base de lo aprendido y compartido.

Para el próximo encuentro

1. Leer el capítulo 2 de *Cristianismo básico.*

2. Dividir al grupo en cuatro subgrupos, cada uno de los cuales tomará un Evangelio e investigará las pretensiones de Cristo. Cada persona responderá a las siguientes preguntas y traerá sus respuestas la semana siguiente: (a) ¿Qué dice Jesús sobre sí mismo en este Evangelio? y (b) ¿Cuál es mi reacción frente a esa 'pretensión'?

Para seguir leyendo

¿Nos podemos fiar del Nuevo Testamento?, David Burt, Andamio, 1991.

Cómo comprender la Biblia, John Stott, Certeza Unida, 2005.

Normas de interpretación bíblica, Ernesto Trechard, Portavoz, 1998.

La lectura eficaz de la Biblia, Gordon D. Feey, Douglas Stuart, Vida, 1995.

1001 proverbios de Dios para una vida feliz, Bill Hybels, Certeza Unida, 2005.

Así leo la Biblia, John Stott, Jorge Atiencia, Samuel Escobar, Certeza Unida, 1999.

Señales de una iglesia viva, capítulo 3, 'El Espíritu y la Palabra', John Stott, Certeza Argentina, 2004.

Mi corazón hogar de Cristo, Roberto Boyd Munger, Certeza Unida, 1999.

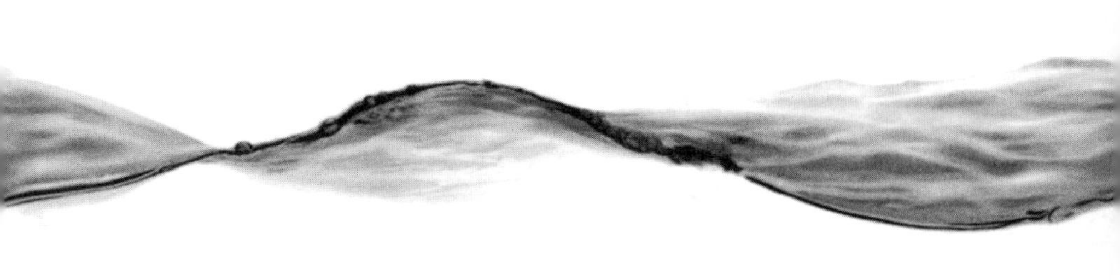

Parte I
La persona de Cristo

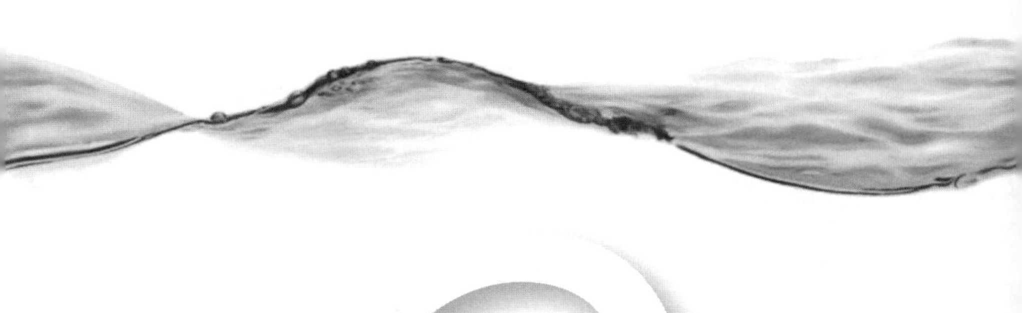

2

Las pretensiones de Cristo

Hemos visto que para encontrar es necesario buscar. Pero, ¿dónde comenzaremos la búsqueda? El cristiano contesta que el único lugar para comenzar es con una persona, vale decir, la persona histórica de Jesús de Nazaret; porque si Dios habló y actuó, lo hizo total y finalmente en Jesucristo. Por lo tanto el problema crucial es este: ¿fue el carpintero de Nazaret el Hijo de Dios?

Hay dos razones principales por las cuales nuestra investigación del cristianismo debe comenzar con la persona de Jesucristo. La primera es que esencialmente el cristianismo es Cristo. La persona y obra de Cristo son la roca fundamental sobre la cual descansa la fe cristiana. Si él no es lo que dijo ser y realiza la obra para la cual declaró que vino a este mundo, entonces toda la estructura del cristianismo cae desmoronada por el suelo. Quitemos a Cristo del cristianismo y éste queda desentrañado; no queda prácticamente nada. Cristo es el centro del cristianismo; todo lo demás es contorno. No tenemos interés primordial en discutir la naturaleza de su filosofía, el valor de su sistema o la calidad de su ética. Nuestro interés se basa fundamentalmente en el carácter de su persona. ¿Quién fue él?

La segunda razón es que, si se puede demostrar que Jesucristo es una persona divina y única, entonces muchos otros problemas encuentran su solución natural. Porque si Jesucristo es divino, queda demostrada la existencia de Dios, al igual que su carácter. Por otra parte, si la persona de Cristo es divina, las cuestiones relacionadas con el deber y el destino del ser humano, la vida después de la muerte, el propósito y autoridad del Antiguo Testamento y el significado de la cruz comienzan a encontrar su respuesta, ya que Jesús habló sobre esos asuntos y, si él es divino, su enseñanza tiene que ser normativa.

Vemos, entonces, que la investigación debe comenzar precisamente con Jesucristo y que para estudiarlo tenemos que recurrir a los Evangelios. No es necesario que aceptemos en este momento que forman parte de las Escrituras inspiradas; bastará que los tratemos como documentos históricos. Lamentablemente en esta oportunidad no podemos considerar los problemas relacionados con su origen literario.[1] Por el momento basta destacar que sus autores fueron hombres cristianos que, como cristianos, eran honestos, y que el contenido de los Evangelios tiene toda la apariencia de ser objetivo y de estar constituido por impresiones de testigos oculares. Sin embargo, por ahora basta que los consideremos meramente como un registro circunstancial exacto de la vida y enseñanzas de Jesús. No basaremos nuestro argumento en unos pocos textos probatorios, oscuros y aislados. Concentraremos nuestra atención en lo que es general y claro.

Cristo no es Dios en un disfraz humano ni un hombre con cualidades divinas. Él es el Dios-hombre.

Nos proponemos descubrir las evidencias que demuestran que Jesús es el Hijo unigénito de Dios, y no nos sentiremos satisfechos ni aun con un veredicto que declare en forma vaga su divinidad. Queremos establecer su deidad. Creemos que él posee una relación con Dios, eterna y esencial que no posee ninguna otra persona. Cristo no es Dios en un disfraz humano ni un hombre con cualidades divinas. Creemos que él es el Dios-hombre. Estamos convencidos que Jesús es una persona histórica que poseyó dos naturalezas, perfectas y distintas: la deidad y la humanidad, de un modo absoluto y único.

Solamente así él puede ser objeto de nuestra adoración y no sólo de nuestra admiración.

La evidencia es triple, y concierne a las pretensiones de Cristo, su carácter moral y su resurrección de entre los muertos. El presente capítulo y el que le sigue están dedicados a la consideración de estos asuntos. Ninguno de estos argumentos es concluyente, pero los tres convergen sin vacilaciones en el mismo foco.

El primer testigo que llamaremos a dar cuenta es el de las propias pretensiones de Cristo. Fue el arzobispo anglicano William Temple quien escribió: 'Se reconoce actualmente que el único Cristo de cuya existencia tenemos ciertas evidencias es una figura milagrosa que formula pretensiones estupendas'. Es verdad que las pretensiones no constituyen una evidencia en sí mismas, pero es preciso admitir que son un fenómeno que demanda alguna clase de explicación. En honor a la claridad distinguiremos cuatro clases diferentes de pretensiones.

El carácter egocéntrico de su enseñanza

La característica más sobresaliente de la enseñanza de Jesús es que él hablaba frecuentemente acerca de sí mismo. Es verdad que hablaba mucho acerca de la paternidad de Dios y el reino de Dios. Pero luego añadía que él era el 'Hijo' del Padre y que había venido a inaugurar el reino. Según él, la entrada en el reino dependía de la actitud de los hombres frente a él. Y no vaciló en referirse al reino de Dios como 'mi reino'.

Este carácter egocéntrico de la enseñanza de Jesús de inmediato lo coloca en contraste con todos los otros grandes maestros del mundo. Estos se anulaban a sí mismos. Cristo se colocaba en el centro de su enseñanza. Ellos alejaban a los hombres de sí diciendo: 'Esa es la verdad, como yo la entiendo: síganla'. Jesús decía: 'Yo soy la verdad: síganme a mí'. Ninguno de los fundadores de religiones étnicas jamás se atrevió a decir semejante cosa. El pronombre personal se repite incesantemente a medida que leemos sus palabras. He aquí varios ejemplos:

> Yo soy el pan que da vida. El que viene a mí, nunca tendrá hambre; y el que cree en mí, nunca tendrá sed.
> Juan 6.35

> Yo soy la luz del mundo; el que me sigue, tendrá la luz que le da vida, y nunca andará en la oscuridad.
> Juan 8.12

> Yo soy la resurrección y la vida. El que cree en mí, aunque muera, vivirá; y todo el que todavía está vivo y cree en mí, no morirá jamás. Juan 11.25–26

> Yo soy el camino, la verdad y la vida. Solamente por mí se puede llegar al Padre. Juan 14.6

> Vengan a mí todos ustedes que están cansados de sus trabajos y cargas, y yo los haré descansar. Acepten el yugo que les pongo, y aprendan de mí.
> Mateo 11.28–29

La gran pregunta hacia la cual se dirigió la primera parte de la enseñanza de Jesús fue: '¿Quién dicen que soy?' (Marcos 8.29). Afirmó que Abraham se había alegrado porque vio su día (Juan 8.56), que Moisés había escrito de él (Lucas 24.27), que las Escrituras daban testimonio de él (Juan 5.39), y que en las tres grandes divisiones del Antiguo Testamento (la ley, los profetas y los escritos) había mucho acerca de él (Lucas 24.44).

El evangelista Lucas describe con algunos detalles la dramática visita que Jesús hizo a la sinagoga de su pueblo de Nazaret. En esta ocasión le fue dado el rollo de las Escrituras del Antiguo Testamento, y se puso de pie para leer. El pasaje era Isaías 61.1–2, que dice:

> El Espíritu del Señor está sobre mí, porque me ha consagrado para llevar la buena noticia a los pobres; me ha enviado a anunciar libertad a los presos y dar vista a los ciegos; a poner en libertad a los oprimidos; a anunciar el año favorable del Señor. Lucas 4.18–19

Cerró el rollo y lo entregó al ministro de la sinagoga y se sentó mientras los ojos de toda la congregación estaban fijos en él. Luego rompió el silencio que lo envolvía todo con las sorprendentes palabras: 'Hoy mismo se ha cumplido la Escritura que ustedes acaban de oír' (Lucas 4.21). En otras palabras: 'Esto es lo que Isaías describió de mí.'

Con tal opinión de sí mismo, no hemos de sorprendernos que Cristo llamara a los hombres hacia él. En realidad, no solamente ofreció una invitación: pronunció una orden. 'Vengan a mí', dijo, y: 'Síganme.' A condición de que los hombres quisieran seguirlo, les prometía levantar la carga de los trabajados (Mateo 11.28–30), satisfacer a los hambrientos (Juan 6.35) y apagar la sed del alma desfalleciente (Juan 7.37). Además, sus seguidores debían obedecerle y confesar su nombre delante de los hombres. Sus discípulos llegaron a reconocer que Jesús tenía derecho a tales pretensiones totalitarias, y en sus cartas Pablo, Pedro y Santiago y Judas se deleitan en llamarse sus 'esclavos'.

Más todavía: él se ofreció a sus contemporáneos como el objeto de la fe y del amor del ser humano. El hombre debe creer en Dios, pero Jesús apeló a los hombres a que creyeran en él. Dijo: 'La única obra que Dios quiere es que crean en aquel que él ha enviado' (Juan 6.29). 'El que cree en el Hijo, tiene vida eterna' (Juan 3.36). Si creer en él es el primer deber del hombre, no creer en él es su pecado principal (Juan 8.24; 16.8–9).

Además, el primer y gran mandamiento es amar a Dios con todo el corazón, con toda el alma y con toda la mente. Sin embargo, Jesús exigió con audacia el amor supremo del ser humano y declaró que cualquiera que ame al padre, a la madre, al hijo o a la hija más que a él, no será digno de él (Mateo 10.37). En efecto, recurriendo al uso hebreo de los contrastes vívidos para establecer comparaciones dijo: 'Si alguno viene a mí y no me ama más que a su padre, a su madre, a su esposa, a sus hijos, a sus hermanos y a sus hermanas, y aun más que a sí mismo, no puede ser mi discípulo' (Lucas 14.26).

Jesús estaba tan convencido de su lugar central en los propósitos de Dios que prometió enviar a Alguien para que tomara su lugar una vez que él hubiera regresado al cielo. Ese Alguien es el Espíritu Santo. Su nombre favorito para este era *Paracleto*, 'Consolador'. Es un término legal que denota al abogado, al consejero de la defensa. La obra del Espíritu Santo sería continuar la causa de Jesús en el mundo. 'Él será mi testigo' (Juan 15.26), dijo Jesús. Y otra vez: 'Él mostrará mi gloria, porque recibirá de lo que es mío y se lo dará a conocer a ustedes' (Juan 16.14). Así que, tanto el testimonio del Espíritu Santo al mundo como su revelación a la iglesia tendrían como objeto a Jesucristo.

En otro fogonazo egocéntrico que lo deja a uno sin aliento, Jesús predijo: 'Pero cuando yo sea levantado de la tierra, atraeré a todos a mí mismo' (Juan 12.32). Él sabía que la cruz ejercería mucha atracción sobre los seres humanos. Pero al acercarlos no serían atraídos primariamente a Dios, ni a la iglesia, ni a la verdad, ni a la justicia y rectitud, sino a él. En realidad, solamente al ser atraídos a él serían atraídos a todo aquello.

El hecho más notable de toda esta enseñanza egocéntrica es que fue pronunciada por una persona que insistía en la humildad en los demás. Reprendió a sus discípulos porque buscaban su propio engrandecimiento y sus deseos de fama lo apesadumbraron. ¿No practicaba lo que enseñaba? Tomó a un niñito y lo colocó en medio de ellos como modelo. ¿Tenía normas distintas para sí mismo?

Sus pretensiones directas

Es evidente que Jesús creyó ser el Mesías de las expectativas del Antiguo Testamento y consideró que su ministerio era el cumplimiento de las predicciones de esa sección de las Sagradas Escrituras. Había venido para establecer el reino de Dios predicho por generaciones de profetas.

Es muy significativo que la primera palabra que se registra de su ministerio público es 'cumplido', y su primera afirmación: 'Ya se cumplió el plazo señalado, y el reino de Dios está cerca' (Marcos 1.15). Adoptó el título 'Hijo del hombre', título mesiánico derivado originalmente de una de las visiones del profeta Daniel. Increpado por el sumo sacerdote, aceptó la designación 'Hijo de Dios' (Marcos 14.61–62), que era otro título mesiánico tomado de un modo especial del Salmo 2.7. También interpretó su misión a la luz del retrato del siervo sufriente del Señor, que aparece en la parte final del libro del profeta Isaías. La primera etapa de su instrucción a los Doce culminó en el incidente de Cesarea de Filipo, cuando Simón Pedro confesó su fe en Jesús como el Cristo. Otros podían suponer que Jesús era uno de los profetas; pero Simón llegó a reconocerlo como el Mesías indicado por los profetas (Marcos 8.27–29). No era otra señal, sino la meta hacia la cual apuntaban las señales.

La obra del Espíritu Santo es continuar la causa de Jesús en el mundo.

Todo el ministerio de Jesús comunica este colorido de cumplimiento. En cierta ocasión dijo en privado a sus discípulos: 'Dichosos quienes vean lo que ustedes están viendo; porque les digo que muchos profetas y reyes quisieron ver esto que ustedes ven, y no lo vieron; quisieron oír esto que ustedes oyen, y no lo oyeron' (Lucas 10.23–24; ver Mateo 13.16–17).

Pero las pretensiones directas de Cristo que ahora interesan no son precisamente las que se refieren a su condición de Mesías sino a su deidad. Él pretende ser el Hijo de Dios por la relación eterna y única que mantiene con Dios no solamente en un sentido mesiánico. Daremos tres ejemplos:

En primer lugar está la asociación íntima con Dios como su Padre, de la cual hablaba constantemente. Aun siendo niño de doce años de edad sorprendió a sus padres humanos por el celo cabal que demostró por los asuntos de su Padre celestial (Lucas 2.49). Y luego hizo declaraciones como las siguientes:

> Mi padre siempre ha trabajado,
> y yo también trabajo. Juan 5.17
>
> El Padre y yo somos uno solo.
> Juan 10.30

Yo estoy en el Padre y el Padre está en mí.
Juan 14.11

Es verdad que Jesús enseñó a los discípulos a dirigirse a Dios como 'Padre'; pero la condición de Cristo como Hijo es tan distinta de la nuestra, que se vio obligado a distinguirlas. Para él, Dios es 'mi Padre' (Mateo 18.10,19,35; 7.21; 20.23; 26.53). Por eso dijo a María de Magdala: 'Voy a reunirme con el que es mi Padre y Padre de ustedes, mi Dios y Dios de ustedes' (Juan 20.17). No le hubiera sido posible decirle: 'Voy a reunirme con *nuestro* Padre.'

Estos pasajes están tomados del Evangelio de Juan, pero Jesús reclama esta misma relación única con Dios en Mateo 11.27, donde dice:

Mi Padre me ha entregado todas las cosas.
Nadie conoce realmente al Hijo, sino el Padre;
y nadie conoce realmente al Padre, sino el Hijo y
aquellos a quienes el Hijo quiera darlo a conocer.

La indignación que Jesús provocó entre los judíos es una comprobación de que Jesús efectivamente pretendió tener esta relación íntima con Dios. 'Se ha hecho pasar por Hijo de Dios', dijeron (Juan 19.7). Tan íntima era la identificación con Dios, que le resultaba natural equiparar la actitud del hombre hacia él y hacia Dios. De allí sus afirmaciones:

Conocerlo a él era conocerlo a Dios;
verlo a él era ver a Dios;
creer en él era creer en Dios;
recibirlo a él era recibir a Dios;
odiarlo a él era odiar a Dios;
honrarlo a él era honrar a Dios.[2]

Pasemos ahora, de la consideración de la pretensión general de Cristo en cuanto a su íntima relación con Dios, a dos ejemplos de sus pretensiones más particulares y directas. La primera ocurre al final del capítulo 8 del Evangelio de Juan. En su controversia con los judíos Jesús dijo: 'Les aseguro que quien hace caso de mi palabra, no morirá'. Esto resultó demasiado para sus críticos. 'Abraham y todos los profetas murieron —le contestaron—. ¿Acaso eres tú más que nuestro padre Abraham? ... ¿Quién te has creído que eres?'

'Abraham, el antepasado de ustedes, se alegró porque iba a ver mi día', replicó Jesús.

Los judíos se quedaron más perplejos aún. 'Todavía no tienes cincuenta años, ¿y dices que has visto a Abraham?', le dijeron.

Entonces Jesús les contestó con una de las pretensiones más punzantes que jamás hiciera antes: 'Les aseguro que yo existo desde antes que existiera Abraham' (Juan 8.58).

Entonces tomaron piedras para arrojárselas. La ley de Moisés ordenaba matar a pedradas al blasfemo, y a primera vista uno se pregunta qué fue lo que ellos interpretaron como una blasfemia en las palabras de Jesús. Es verdad que estaba de por medio su pretensión de haber vivido antes que Abraham. Lo expresó varias veces. Él había 'bajado' del cielo, 'enviado' por el Padre. Pero esa pretensión era tolerablemente inocente. Debemos observar con más cuidado. Notemos que el Señor no dijo: 'Yo *existía* antes que existiera Abraham', sino 'Yo *existo*' (literalmente: 'yo soy'). Era, por lo tanto, la pretensión de haber existido eternamente antes que Abraham. Pero esto no es todo. En ese 'yo soy' hay algo más que una pretensión de eternidad: hay una pretensión de deidad. 'YO SOY' es el nombre divino con que Jehová se reveló a Moisés desde la zarza ardiente. 'YO SOY EL QUE SOY.' Y dirás a los israelitas: 'YO SOY me ha enviado a ustedes' (Éxodo 3.14). Este es el título que Jesús toma para sí con toda tranquilidad. Fue por esa declaración que los judíos tomaron piedras para vengar tal blasfemia.

El segundo ejemplo de una directa pretensión de deidad tuvo lugar después de la resurrección (si es que por el momento podemos dar por sentado que ésta efectivamente ocurrió). Juan narra que el domingo siguiente al domingo de resurrección, el incrédulo Tomás se encontraba con los otros discípulos en el aposento alto de Jerusalén, cuando Jesús apareció. Éste invitó a Tomás a que palpara sus heridas y, sobrecogido de admiración, Tomás exclamó: '¡Mi Señor y mi Dios!' (Juan 20.28). Jesús aceptó esa designación: censuró a Tomás a causa de su incredulidad, pero no por haberlo adorado.

Sus pretensiones indirectas

La pretensión de deidad que el Señor hizo indirectamente fue tan rotunda como la que hizo directamente. Las alcances de su ministerio son testimonios tan elocuentes con respecto a su persona, como las declaraciones que formuló. En muchas ocasiones, ejerció funciones que corresponden solamente a Dios. A manera de ilustración, basta que mencionemos cuatro de ellas.

En primer lugar, asumió la facultad de *perdonar pecados*. En dos ocasiones distintas perdonó a pecadores. La primera vez varios amigos le trajeron un paralítico, tendido en una camilla, y lo bajaron a través del techo de la casa. Jesús vio que la necesidad básica de ese hombre era espiritual, y sorprendió a la concurrencia diciendo al paralítico: 'Hijo mío, tus pecados quedan perdonados' (Marcos 2.5).

La segunda declaración de perdón la hizo a una mujer de vida airada. Jesús estaba sentado a la mesa en casa de un fariseo cuando entró una mujer desconocida, se colocó detrás de Jesús (que estaba sentado a la mesa), lavó sus pies con lágrimas y los secó con sus cabellos. Luego los besó y los ungió con ungüento. Jesús le dijo: 'Tus pecados te son perdonados' (Lucas 7.48).

En las dos ocasiones los presentes fruncieron el ceño y preguntaron: '¿Quién es este hombre? ¿Qué blasfemia es ésta? ¿Quién puede perdonar pecados, sino sólo Dios?' Las preguntas estaban bien formuladas. Nosotros podemos perdonar las ofensas e injurias que se nos infieren; pero solamente Dios puede perdonar los pecados que se cometen contra él.

La segunda pretensión indirecta de Cristo fue la de *otorgar vida*. Se describió a sí mismo como 'el pan que da vida'

(Juan 6.35), 'la vida' (Juan 14.6) y 'la resurrección y la vida' (Juan 11.25). Puso como ejemplo la dependencia de sus discípulos de él, con la sustancia que surge de la vida y pasa a las ramas (Juan 15.4–5). A la mujer samaritana le ofreció 'agua viva' (Juan 4.10) y al joven rico le prometió vida eterna, siempre que se decidieran a seguirlo (Marcos 10.17,21). Se llamó a sí mismo 'el buen pastor' (Juan 10.11,28) que no solamente daría su vida por las ovejas sino que además les daría vida. Declaró que Dios le había dado autoridad sobre todo ser humano para que diera vida a todos los que Dios le había dado (Juan 17.2) y dijo que 'el Hijo da vida a quienes quiere dársela' (Juan 5.21).

Creer en él era creer en Dios; recibirlo a él era recibir a Dios.

Esta pretensión era tan clara que los discípulos la comprendieron sin dificultad. Fue lo que hizo imposible que ellos se separaran de él. Simón Pedro le dijo: 'Señor, ¿a quién podemos ir? Tus palabras son palabras de vida eterna' (Juan 6.68).

La vida es un enigma. Ya sea física o espiritual, su naturaleza es tan desconcertante como su origen. No podemos definir qué es ni de dónde viene. Lo único que podemos hacer es llamarla un don divino. Es este el don que Jesús pretendió otorgar.

La tercera pretensión indirecta de Jesús fue la de *enseñar la verdad*. Lo que llama la atención no es tanto las verdades que exponía como la forma dogmática que tenía de enseñar. Sus contemporáneos quedaron impresionados por su sabiduría.

> ¿Dónde aprendió este tantas cosas?
> ¿De dónde ha sacado esa sabiduría ..?
> ¿No es este el carpintero? Marcos 6.2–3

> ¿Cómo sabe éste tantas cosas, sin haber estudiado? Juan 7.15

Pero lo que los impresionó aún más fue su autoridad:

> ¡Jamás ningún hombre ha hablado así!
> Juan 7.46

> Y la gente se admiraba de cómo les enseñaba,
> porque hablaba con plena autoridad.
>
> Lucas 4.32

> Cuando Jesús terminó de hablar, toda la gente
> estaba admirada de cómo les enseñaba, porque
> lo hacía con plena autoridad, y no como sus
> maestros de la ley. Mateo 7.28–29

Si su autoridad no era como la de los escribas, tampoco era como la de los profetas. Los escribas nunca enseñaban sin citar a sus autoridades. Los profetas hablaban con la autoridad de Jehová. Pero Jesús pretendía tener autoridad propia. Su fórmula no era: 'Así dice el Señor', sino: 'En verdad, en verdad les digo.' Es cierto que dijo que la doctrina no era suya, sino del Padre que lo envió. Sin embargo, sabía perfectamente bien que era el instrumento inmediato de la revelación y que por eso podía hablar con seguridad personal. Nunca titubeó ni se disculpó. No tuvo necesidad de contradecir, corregirse o modificar lo que había dicho. Habló las inequívocas palabras de Dios (Juan 7.16–18; 3.34). Predijo el futuro con absoluta convicción. Sentó normas morales terminantes tales como: 'Amen a sus enemigos' (Mateo 5.44), 'No se preocupen por el día de mañana' (Mateo 6.34), 'No juzguen a otros, para que Dios no los juzgue a ustedes' (Mateo 7.1). Prometió cosas de cuyo cumplimiento no albergó la menor duda: 'Pidan, y Dios les dará' (Mateo 7.7). Aseguró que sus palabras eran tan eternas como la ley y que nunca dejarían de cumplirse (Marcos 13.31). Advirtió a sus oyentes que su destino dependía de las respuestas que dieran a sus palabras (Mateo 7.24–27, Juan 12.48), así como el destino de Israel dependió de la respuesta que dio a las palabras de Jehová.

La cuarta pretensión indirecta de Cristo fue la de *juzgar al mundo*. Esta es, probablemente, la más fantástica de todas sus declaraciones. Varias de sus parábolas dejan entrever que regresará en el fin del mundo y que el día de las cuentas finales será postergado hasta que él regrese. Él mismo resucitará a los muertos y todas las naciones se presentarán delante de él (Juan 5.22, 28–29). Él se sentará en el trono de gloria y todo el juicio le será entregado por su Padre. Entonces separará a los hombres uno de los otros como el pastor separa a las ovejas de las cabras. Algunos serán invitados a venir y heredar el reino preparado para ellos desde la fundación del mundo. Otros oirán las terribles palabras: 'Apártense de mí, los que merecieron la condenación; váyanse al fuego eterno preparado para el diablo y sus ángeles' (Mateo 25.41).

La fórmula de Jesús no era: 'Así dice el Señor', sino: 'En verdad les digo.'

No sólo será Jesús el juez, sino que el criterio del juicio dependerá de la actitud que los hombres guardan hacia sus 'hermanos' que son sus seguidores, o de cómo responden a su Palabra (Juan 12.47–48). A quienes lo hayan reconocido a él delante de los hombres, él los reconocerá delante de su Padre. A quienes lo hayan negado, él también los negará (Mateo 10.32–33). En efecto, para que uno sea excluido del cielo el último día será suficiente que Jesús diga: 'Nunca te conocí' (Mateo 7.23).

Es difícil exagerar la magnitud de esta pretensión. Imaginemos que un predicador del evangelio dijera hoy a su congregación: 'Escuchen con atención lo que voy a decirles, porque de ello depende su destino eterno. Yo volveré al final del mundo para juzgarlos y su destino quedará definido de acuerdo al modo que me hayan obedecido.' Semejante predicador no podría escapar a la acción de la policía o de algún psiquiatra.

Sus pretensiones dramatizadas

Nos queda por considerar los milagros de Cristo que debemos describir como la dramatización de sus pretensiones.

Este no es el lugar para analizar a fondo la posibilidad y el propósito de los milagros. Basta advertir que el valor de los milagros reside menos en su carácter sobrenatural que en su significado espiritual: son 'señales' a la vez que 'maravillas'. Nunca fueron realizados con un fin egoísta, sensacional o carente de sentido. No tienen el propósito de alardear ni de exigir sometimiento. Más que demostraciones de poder son ilustraciones de autoridad moral. Son, en realidad, parábolas actuadas de Jesús. Exhiben visiblemente sus pretensiones. Sus obras dramatizan sus palabras.

El apóstol Juan vio claramente esta verdad. Construyó su evangelio alrededor de seis o siete 'señales' seleccionadas (ver Juan 20.30–31) y las asoció con las grandes declaraciones de Cristo que comienzan con las palabras 'Yo soy'. La primera señal que aparece en este evangelio es la de la transformación de agua en vino en una boda que tuvo lugar en Caná de Galilea. En sí no es un milagro muy edificante. Su significado aparece debajo de la superficie de lo que se ve. Juan dice que allí había seis tinajas de piedra, 'para el agua que usan los judíos en sus ceremonias de purificación' (Juan 2.6). Esta es la clave que estamos buscando: el agua representa la antigua religión (como el pozo de Jacob en el capítulo 4), llena de asociaciones con el Antiguo Testamento. El vino representaba la religión de Jesús. Así como Cristo cambió el agua en vino, el evangelio superaría a la ley. La señal alentó la pretensión de que Cristo era competente para inaugurar el nuevo orden. Él era el Mesías. Así se lo diría muy pronto a la mujer samaritana: 'Ese soy yo' (Juan 4.26).

La ocasión en que el Señor alimentó a las cinco mil personas ilustra, de la misma manera, su pretensión de satisfacer el hambre del corazón humano. 'Yo soy el pan que da vida', dijo (Juan 6.35). Un poco más tarde abrió los ojos de un hombre que había nacido ciego, habiendo dicho previamente: 'Yo soy la luz del mundo' (Juan 8.12). Si él pudo restaurar la vista a los ciegos, también podía abrir los ojos de los hombres para que vieran y conocieran a Dios. Finalmente, trajo de nuevo a la vida a uno que había estado muerto cuatro días, y exclamó: 'Yo soy la resurrección y la vida' (Juan 11.25). Había resucitado al muerto. Era una señal. La vida del cuerpo simboliza la vida del alma. Cristo podía ser la vida del creyente antes de la muerte y sería la resurrección del creyente después de la muerte. Todos estos milagros son parábolas, ya que los seres humanos están hambrientos y muertos espiritualmente, y solamente Cristo puede satisfacer su hambre, restaurar su vista y levantarlos a una nueva vida.

Conclusión

No es posible eliminar estas pretensiones de la enseñanza del carpintero de Nazaret. No se puede decir que fueron invenciones de los evangelistas o exageraciones inconscientes. Se hallan distribuidas profusa y equitativamente en los distintos Evangelios y en las fuentes de los Evangelios, y el retrato de este Maestro resulta demasiado consistente y demasiado equilibrado como para haber sido creado por la imaginación.

Las pretensiones están allí. Por sí solas no constituyen la evidencia de la deidad. Las pretensiones podrían ser falsas. Pero hay que encontrarles alguna explicación. No podemos considerar a Jesús como un gran maestro si estaba equivocado en uno de los puntos capitales de su enseñanza: la enseñanza acerca de sí mismo. Muchos eruditos reconocen que en Jesús existe una cierta 'megalomanía' perturbadora.

> Estas pretensiones en un mero hombre serían la expresión máxima de megalomanía imperial.[3]
>
> La discrepancia que existe entre la profundidad, la cordura y (permítaseme añadir) la astucia de las enseñanzas morales de Cristo, por una parte, y la megalomanía que trasunta su enseñanza teológica, por otra parte, nunca ha sido superada completamente, a menos que él sea Dios.[4]

¿Fue deliberadamente un impostor? ¿Trató de conseguir la adhesión de los hombres a sus puntos de vista asumiendo una autoridad divina que no tuvo? Es muy difícil creerlo. En Jesús hay algo sencillo, diáfano. Odia la hipocresía en otros y es transparentemente sincero consigo mismo.

¿Estuvo sinceramente equivocado, entonces? ¿Tenía una ilusión fija acerca de sí mismo? Este punto de vista ha tenido, y tiene aún, sus defensores, pero sospechamos que su alucinación es mayor que la que atribuyen a Jesús. Éste no da la impresión de poseer la anormalidad que uno espera descubrir en un iluso. Su carácter parece respaldar sus pretensiones, y es sobre este terreno que proseguiremos nuestra investigación.

Guía de estudio 2
Las pretensiones de Cristo

Propósito Investigar las manifestaciones que Cristo hizo acerca de sí mismo y considerar las actitudes que tenemos hoy frente a las mismas.

Preguntas **1.** ¿Cuál es la gran pregunta del cristianismo, y por qué tiene aún plena vigencia? Mencionar algunas personas que hicieron esta pregunta durante el ministerio terrenal de Jesús. Revisar los resultados de la lectura de los Evangelios durante la semana pasada.

2. ¿Nos hacemos hoy la misma pregunta? ¿Recordamos a alguien en particular que nos la haya formulado últimamente? ¿De qué manera y en qué circunstancia lo hicieron?

3. ¿Podríamos mencionar la triple evidencia de que Jesucristo 'poseyó dos naturalezas perfectas y distintas: la deidad y la humanidad, de un modo absoluto y único' (página 37)?

4. ¿Qué es lo que más nos impresiona en cuanto a la enseñanza 'egocéntrica' de Jesús? ¿Podríamos explicar esa pretensión?

5. ¿Qué diferencia hay entre las pretensiones de Jesús y las de los grandes maestros religiosos o las de aquellos que se consideran a sí mismos como seres divinos y mesías en nuestro tiempo?

6. ¿Cuál es el sentido principal de los milagros de Cristo (páginas 47–49)?

7. ¿Cómo describiríamos nuestra actitud actual frente a Jesucristo? Si él fue efectivamente el Dios-hombre, ¿qué actitud debemos tener frente a él?

Dialogar con Dios de acuerdo a lo que hemos analizado.

Para el próximo encuentro

1. Leer el capítulo 3 de *Cristianismo básico.*

2. Leer nuevamente los Evangelios como la semana pasada y preparar una lista de los aspectos del carácter de Cristo revelados en sus acciones. Pensar en cuáles nos despiertan un interés más profundo por su persona y por qué.

Para seguir leyendo

No dejes tu cerebro en la puerta, Josh McDowell y Bob Hostetler, Betania, 1993.

Creer es también pensar, John Stott, Certeza Argentina, 2005.

El Jesús que nunca conocí, Philip Yancey, Vida, 1996.

Fuera del salero, capítulos 2 y 3, Rebeca Pippert, Certeza Unida, 2004.

Sobre la roca, capítulo 5, John Stott, Certeza Unida, 2000.

Nuevo Diccionario Bíblico Certeza, artículo: 'Jesucristo, títulos de', páginas 683–693, Certeza Unida, 2003.

El carácter de Cristo

Hace algunos años recibí una carta que me envió un joven a quien apenas conocía. Decía: 'Acabo de hacer un gran descubrimiento. El Dios todopoderoso tiene dos hijos: Jesucristo es el primero, y el otro soy yo.' Cuando miré la dirección que indicaba el encabezamiento de la carta, vi que me escribía desde un hospital psiquiátrico.

Han existido muchos pretendientes a la grandeza y la divinidad. Los manicomios están llenos de pobres enfermos que dicen ser Julio César, el primer ministro, el emperador de Japón o Jesucristo. Pero nadie les cree. No engañan a nadie más que a ellos mismos. No tienen discípulos a no ser los propios compañeros de sala. Y no convencen a nadie, porque no parecen ser aquello que pretenden ser. Su carácter no ampara sus pretensiones.

Ahora bien, la convicción del cristiano acerca de Cristo recibe fuerza del hecho de que él parece ser lo que pretende ser. No existe discrepancia entre sus palabras y sus acciones. Es indudable que se necesitaría poseer un carácter extraordinario para legitimar las pretensiones extravagantes de Cristo, pero nosotros creemos que él presentó precisamente ese carácter. Su carácter no prueba de manera concluyente que sus pretensiones fueran verídicas, pero las confirma de manera notable. Sus pretensiones eran exclusivas. Su carácter era único en su género.

John Stuart Mill dijo que él: 'Es una figura única, tan diferente de todos sus predecesores como de todos sus seguidores.'[1]

Y Carnegie Simpsom escribió:

> Instintivamente no colocamos a Cristo en la misma clase con otras personas. Cuando uno encuentra su nombre en una lista que comienza con Confucio y termina con Goethe, sentimos que no se trata tanto de una ofensa a la ortodoxia como a la decencia. Jesús no pertenece al grupo de los grandes de la historia. Que se hable de Alejandro el Grande, de Carlos el Grande, de Napoleón el Grande … Jesús está aparte. Él no es Grande: es Único. Es sencillamente Jesús. Nada puede añadirse a este nombre … Desafía todo análisis. Confunde todos los cánones de la naturaleza humana. Obliga a nuestra crítica a replegarse sobre sí misma. Llena de reverencia el alma. En palabras de Charles Lamb … si Shakespeare entrara en esta habitación, nos pondríamos de pie para saludarlo; pero si esa Persona entrara, todos caeríamos de rodillas para adorarlo y besar el ruedo de su manto.[2]

Nuestro interés es, pues, demostrar que la categoría moral de Jesús es única. No nos satisface conceder que 'él es el hombre más grande que ha existido'. No podemos hablar de Jesús en términos comparativos, ni aun superlativos. Para nosotros no es una cuestión de comparación, sino de contraste. Dirigiéndose al príncipe rico, Jesús dijo: '¿Por qué me llamas bueno? Bueno solamente hay uno: Dios' (Marcos 10.18). 'Exacto —hubiéramos contestado nosotros—. No se trata de que tú seas mejor que los demás hombres, ni aun de que tú seas el mejor de los hombres, sino que tú eres bueno: bueno con la absoluta bondad de Dios.'

La importancia de esta pretensión debe ser evidente. El pecado es una enfermedad congénita entre los seres humanos.

Nacemos con nuestra naturaleza infectada por él. Es un mal universal. Por consiguiente, si Jesús de Nazaret no tuvo pecado, no fue un mero hombre como los demás que conocemos. Si fue inmaculado, fue distinto a nosotros. Fue sobrenatural.

> Su carácter fue más maravilloso que el más grande de los milagros.[3]

> Esta separación de los pecadores no es nada trivial, sino algo estupendo. Es la condición indispensable para la redención; es la mismísima virtud de Cristo sin la cual no podría ser el Salvador, sino que, como nosotros, necesitaría salvación.[4]

Sería de ayuda resumir la evidencia de la perfección de Cristo bajo cuatro puntos.

Lo que pensaba Cristo mismo

En una o dos oportunidades Jesús declaró directamente que no tenía pecado. Cuando una mujer fue sorprendida en flagrante delito de adulterio y arrastrada hasta él, Jesús hizo un embarazoso desafío a los acusadores diciéndoles: 'Aquel de ustedes que no tenga pecado, que le tire la primera piedra' (Juan 8.7). Poco a poco se fueron retirando los acusadores, hasta que no quedó nadie. En el mismo capítulo, más adelante, se registra que Jesús hizo otro desafío, esta vez referente a sí mismo, diciendo: '¿Quién de ustedes puede demostrar que yo tengo algún pecado?' (Juan 8.46). Nadie le contestó. Cuando él los acusó, todos se alejaron. Pero cuando él los invitó a acusarlo, él pudo quedarse y esperar el veredicto. Todos ellos eran pecadores; sólo él no tenía pecado. Vivió una vida de perfecta obediencia a la voluntad de su Padre. Podía decir: 'Siempre hago la voluntad de mi Padre'. No había nada de alarde en estas palabras. Jesús hablaba siempre de un modo natural, sin bullicio ni pedantería.

De igual manera, debido a la naturaleza misma de su enseñanza, se colocó en una categoría moral única. Desde luego, eso fue también lo que hizo el fariseo en el templo, en su arrogante acción de gracias: 'Oh Dios, te doy gracias porque no soy como los demás' (Lucas 18.11). Pero Jesús asumió su condición única de un modo completamente natural. No le fue necesario llamar la atención sobre ello. Para él era un hecho tan evidente que no requería mayor énfasis. Era algo que se sobreentendía, más que algo que se afirmaba. Todos los demás hombres eran ovejas perdidas, pero él había venido como un buen pastor para buscarlos y salvarlos. Todos los demás hombres estaban plagados de la enfermedad del pecado, pero él era el médico que había venido para curarlos. Todos los demás hombres estaban sumidos en las tinieblas de la ignorancia y del pecado, pero él era la luz del mundo. Todos los demás hombres eran pecadores, pero él había nacido para ser su Salvador y derramaría su sangre para perdonarlos de sus pecados. Todos los demás hombres tenían hambre, pero él era el pan que da la vida. Todos los demás hombres estaban muertos en delitos y pecados, pero él podía ser su vida ahora y su resurrección más allá. Todas estas metáforas expresan la conciencia que Jesús tenía de su singularidad moral.

Jesús no tuvo pecado, no fue un mero hombre como los demás que conocemos. Fue puro, distinto a nosotros.

No es de sorprenderse, entonces, que aunque se nos narren las tentaciones de Jesús, no se nos diga nada de sus pecados. Nunca confesó pecado ni pidió perdón aunque dijo que sus discípulos debían hacerlo. En ningún momento manifestó tener conciencia de algún fracaso moral. Nunca demostró tener sentimiento de culpa ni enajenamiento de Dios. Su bautismo fue por cierto el de Juan, 'para arrepentimiento'. Pero Juan mismo vaciló antes de bautizar a Jesús, y éste se sometió al bautismo no porque fuera pecador, sino 'pues es conveniente que cumplamos todo lo que es justo ante Dios' (Mateo 3.15) y para comenzar a identificarse con los pecados del mundo. Jesús dio la impresión de vivir en comunión sin interrupciones con su Padre.

Esta ausencia de todo descontento moral y este sentimiento de una diáfana y despejada comunión con Dios son muy notables por dos razones. La primera es que Jesús poseía un juicio moral sumamente agudo y penetrante. 'Conocía el corazón del hombre' (Juan 2.25). Los relatos de los Evangelios recuerdan que muy a menudo Jesús leía los problemas y las dudas íntimas de la multitud. Tal claridad de percepción le permitió exponer temerariamente la dualidad de los fariseos. Aborrecía su hipocresía. Pronunciaba contra ellos acusaciones que resonaban como los truenos de los profetas del Antiguo Testamento. La ostentación y el simulacro eran para él una abominación. Sin embargo, su ojo penetrante no descubrió ningún pecado en su propia persona.

La ostentación y el simulacro eran para Jesús una abominación. Sin embargo, su ojo penetrante no descubrió ningún pecado en su propia persona.

La segunda razón por que la propia conciencia de su pureza es sorprendente, es que es totalmente distinta a la experiencia de los santos místicos. El cristiano sabe que cuando más se acerca a Dios, más se pone en evidencia su pecado. En esto el santo se asemeja al científico: cuanto más descubre el hombre de ciencia, tanto más aprecia los misterios que le falta descubrir. De manera similar, cuanto más crece el cristiano en su semejanza a Cristo, tanto más percibe la distancia que lo separa de Cristo.

Un vistazo a cualquier biografía cristiana dejará satisfecho al lector que quiera comprobar lo que afirmamos si es que su propia experiencia no le basta. Cabe aquí un ejemplo. David Brainerd fue un joven misionero pionero que trabajó entre los indios de Delaware a comienzos del siglo XIX. Su diario y sus cartas revelan la gran calidad de su devoción a Cristo. A pesar del gran sufrimiento y la debilidad paralizante que lo llevaron a la muerte a la temprana edad de veintinueve años, se entregó sin reservas a su trabajo. Atravesaba bosques espesos a lomo de caballo, predicaba y enseñaba sin tregua ni descanso, dormía al aire libre y se contentaba sin un hogar fijo y sin vida familiar. Su diario está lleno de expresiones de amor a 'mis queridos indios', y de oraciones y alabanzas a su Salvador.

Aquí tenemos, pensará más de una persona, a un hombre santo y piadoso de primera calidad, cuya vida y trabajo deben haber estado exentos de pecado. Pero a medida que pasamos las hojas de su diario, encontramos que continuamente se lamenta de su 'corrupción moral'. Se queja de su falta de oración y amor a Cristo. Se llama a sí mismo 'un pobre gusano', 'un perro muerto' y 'un miserable, indecible y despreciable'. No es que tuviera una conciencia morbosa. Se trata simplemente de que Brainerd vivía cerca de Cristo y sentía intensamente el dolor de su pecaminosidad.

> Y aquellos que quisieran sentirse mejor
> Tienen más conciencia de su mal interior.

Sin embargo Cristo, que vivió más cerca de Dios que ninguna otra persona, estuvo libre de todo sentido de pecado.

Lo que dijeron los amigos de Cristo

Es evidente, pues, que Cristo creía estar completamente libre de pecado, del mismo modo que creía ser el Mesías y el Hijo de Dios. Pero, ¿no pudo haber estado equivocado en cuanto a las dos suposiciones? ¿Qué pensaban sus discípulos? ¿Compartían la misma opinión acerca de él?

Se podría pensar que los discípulos de Cristo fueron testigos imperfectos. Se ha argumentado que fueron parciales y que deliberadamente pintaron el retrato de Jesús con colores más hermosos que los que él merecía. Lo cierto es que los apóstoles han sido muy difamados. Sin embargo, sus afirmaciones no se pueden echar por la borda tan fácilmente. Existen varias razones por las cuales podemos descansar confiadamente en la evidencia que presentan.

En primer lugar, los discípulos de Jesús vivieron en compañía íntima con él durante unos tres años. Comían y dormían juntos. Experimentaban la estrechez del mismo bote. Hasta tenían una caja común, y una cuenta bancaria comunitaria puede convertirse fácilmente en una manzana de discordia. Los discípulos se molestaban entre sí. Disputaban. Pero nunca encontraron en Jesús los pecados que hallaban en sí mismos. Por lo general la familiaridad engendra menosprecio, pero en este caso no fue así. En realidad, dos de los testigos principales de la perfección de Jesús son Pedro y Juan (como veremos más adelante) y éstos pertenecían a ese grupo íntimo compuesto por los dos nombrados y Santiago, a quienes el Señor otorgó privilegios especiales y una revelación más íntima.

En segundo lugar, el testimonio de los apóstoles sobre este particular es digno de confianza porque eran judíos cuya mente, desde la infancia, estaba empapada de las doctrinas del Antiguo Testamento. Y una de las doctrinas del Antiguo Testamento que no pudo habérseles escapado es la universalidad del pecado humano:

> Pero todos se han ido por mal camino;
> todos por igual se han pervertido.
> ¡Ya no hay quien haga lo bueno!
> ¡No hay ni siquiera uno! Salmo 14.3

> Todos nosotros nos perdimos como ovejas,
> siguiendo cada uno su propio camino.
> Isaías 53.6

A la luz de esta enseñanza bíblica, no podían atribuir perfección a ningún ser humano fácilmente.

En tercer lugar, el testimonio apostólico en cuanto a la impecabilidad de Jesús es más creíble aún por ser indirecto. No se propusieron establecer la verdad de que Jesús es sin pecado. Hicieron sus observaciones de paso. Estaban tratando otros temas y, como entre paréntesis, se refirieron a su perfección.

Esto es lo que dicen. Pedro describe primero a Jesús como 'un cordero sin defecto ni mancha' (1 Pedro 1.19) y luego añade que 'Cristo no cometió ningún pecado ni engañó jamás a nadie'

(1 Pedro 2.22). Juan enfáticamente declara que todos los hombres son pecadores y que si decimos que no tenemos pecado o no hemos pecado, somos mentirosos y hacemos a Dios también mentiroso. Pero luego dice que Cristo, que se manifestó para quitar nuestros pecados, 'no tiene pecado alguno' (1 Juan 1.8–10; 3.5).

Al testimonio de Pedro y de Juan podemos agregar el de Pablo y el del autor de la Carta a los Hebreos. Según su descripción, Jesús 'no cometió pecado alguno' (2 Corintios 5.21), sino que fue 'santo, sin maldad y sin mancha, apartado de los pecadores' (Hebreos 7.26). Por cierto 'él también estuvo sometido a las mismas pruebas que nosotros; sólo que él jamás pecó' (Hebreos 4.15).

Lo que admitieron los enemigos de Cristo

Es posible que al considerar lo que los enemigos de Jesús pensaron acerca de él, creamos estar pisando tierra más firme. Indudablemente, ellos no tenían prejuicios; por lo menos no los tenían en favor de Jesús. En los Evangelios leemos que le 'espiaban' y trataban de 'hacerle decir algo de que pudieran acusarlo' (Marcos 3.2; 12.13). Es bien sabido que cuando no se puede ganar un debate por vía de la argumentación, los discutidores suelen descender al terreno del abuso personal. Si faltan razones, el lodo es buen sustituto. Hasta los anales de la iglesia están tiznados por la suciedad de las animosidades personales. Así sucedió con los enemigos de Jesús.

El evangelista Marcos acumula cuatro de las críticas que ellos dirigieron contra él (en 2.1–3.6). La primera acusación fue de *blasfemia*. Jesús había perdonado los pecados de un hombre. Según sus enemigos, esto era una invasión a los dominios divinos. Era una arrogancia blasfema. Pero esa acusación era una petición de principio: si Jesús era divino, el perdonar pecados era una de sus prerrogativas.

Dijeron, además, que estaban horrorizados por las *malas amistades* que mantenía Jesús. Éste fraternizaba con pecadores.

Comía con publicanos. Se codeaba con rameras. Ningún fariseo hubiera soñado jamás hacer semejante cosa. Hubiera recogido el manto alrededor del cuerpo para evitar el roce con semejante escoria. Y, además, se hubiera sentido justificado por esa acción. No hubiera podido reconocer la gracia y la ternura de Jesús que, aunque estaba 'separado de los pecadores', se honró al ser llamado 'amigo de pecadores'.

Su tercera acusación contra Jesús era que *su religión era frívola*. No ayunaba como los fariseos, ni siquiera como los discípulos de Juan el Bautista. Era un 'glotón y bebedor' que se dedicaba a comer y beber (Mateo 11.19). Semejante ataque ni merece una refutación seria. Es verdad que Jesús estaba lleno de gozo, pero no puede haber la menor duda de que tomaba la religión con toda seriedad.

En cuarto lugar, les enfurecía *su transgresión del sábado*. Sanaba a los enfermos en el día de reposo. Y sus discípulos, caminando por entre los sembrados un día de descanso, comenzaron a arrancar espigas de trigo y a comer el grano, lo cual era prohibido por los escribas y los fariseos, que consideraban que esa acción era equivalente a cosechar y trillar. Pero ningún investigador honrado puede dudar que Jesús era sumiso a la ley de Dios. Él mismo la obedeció y en las controversias que mantuvo con sus opositores la empleó como árbitro. Afirmó además que Dios hizo el día de descanso, pero para beneficio del ser humano. Él era el 'Señor del día de descanso' y como tal, según él, tenía el derecho de dejar de lado las falsas tradiciones de los hombres y dar a la ley de Dios su verdadera interpretación.

Si Jesús era divino, el perdonar pecados era una de sus prerrogativas.

Todas estas acusaciones son triviales o se basan en una petición de principio. Por eso, cuando Jesús fue sometido a juicio, sus detractores tuvieron que buscar testigos falsos. Pero ni aun ellos pudieron ponerse de acuerdo. De hecho, el único cargo que pudieron presentar contra él no tenía visos morales, sino políticos. Y cuando el augusto prisionero fue llevado ante los hombres para escuchar el veredicto, una y otra vez fue declarado inocente. Después de tratar varias veces de evadir el asunto cobardemente, Pilato se lavó las manos en público, declarándose inocente de la muerte de un hombre inocente (Mateo 27.24). Herodes tampoco pudo encontrar ninguna falta en él (Lucas 23.15). Judas, el traidor, lleno de remordimientos, devolvió a los sacerdotes las treinta piezas de plata, diciendo: 'He pecado entregando a la muerte a un hombre inocente' (Mateo 27.4). El ladrón penitente en la cruz reprochó a su compañero por su abuso y añadió: 'Este hombre no hizo nada malo' (Lucas 23.41). Finalmente, el centurión romano, después de haber visto a Cristo sufrir y morir, exclamó: 'De veras, este hombre era inocente' (Lucas 23.47).

Lo que podemos ver nosotros mismos

Pero al valorar el carácter de Jesucristo, no necesitamos recurrir al testimonio de otros: podemos hacer nuestra propia valoración. La perfección moral que Jesús se atribuyó a sí mismo sin ningún alarde, y que fue afirmada confiadamente por sus amigos y reconocida de mala gana por sus enemigos, aparece claramente en los Evangelios.

Tenemos amplia oportunidad para formar nuestro propio juicio. El retrato de Jesús que trazan los evangelistas es amplio y comprensible. Es cierto que describen, en gran parte, su ministerio de apenas unos tres años; pero nos dan una idea de su niñez, y Lucas repite dos veces que, durante los años que Jesús vivió oculto en Nazaret, éste crecía en cuerpo, alma y espíritu, y 'gozaba del favor de Dios y de los hombres' (Lucas 2.52).

Lo vemos apartarse con sus discípulos, e igualmente lo vemos en medio del ajetreo bullicioso de las multitudes. También lo contemplamos en su ministerio en Galilea, adorado como héroe por la turba que quiso hacerlo rey a la fuerza, y lo seguimos hasta los claustros del templo de su astuta inquisición. Pero, ya sea escalonando las vertiginosas alturas del éxito o descendiendo las profundidades del amargo rechazo, es el mismo Jesús. Es consistente. No es temperamental. No cambia.

Por otra parte, el retrato es equilibrado. En él no hay rastros de maniático. Cree fervientemente en lo que enseña, pero no es un fanático. Su doctrina no es popular, pero él no es un excéntrico. Hay tanta evidencia de su humanidad como de su divinidad. Se cansa. Necesita dormir y comer y beber como cualquier otra persona. Experimenta las emociones humanas del amor y de la ira, del gozo y del dolor. Es completamente humano. Sin embargo, no era un mero hombre. Sobre todo, es altruista a carta cabal. Nada sobresale más que esto. Aunque sabe que es digno, no se da aires de dignidad. Nunca se muestra pomposo entre los hombres. No se cree muy importante. Se muestra humilde.

Esta es la paradoja que desconcierta: la combinación del egocentrismo de su enseñanza con la absoluta abnegación de su conducta. En cuanto al pensamiento, siempre se consideró el primero; en cuanto a la acción, el último. Jesús demostró tanto la más alta estima de sí mismo como el más grande sacrificio de sí mismo. Sabía que era el Señor de todo, pero se hizo siervo de todos. Dijo que iba a juzgar al mundo, pero lavó los pies de sus apóstoles.

Jesús demostró tanto la más alta estima de sí mismo como el más grande sacrificio de sí mismo.

Nadie jamás renunció a tanto. Se sostiene (lo sostiene él como nosotros) que renunció a los goces del cielo por los dolores de la tierra, cambiando una inmunidad eterna contra el pecado con el contacto doloroso del pecado de este mundo. Nació de una humilde madre hebrea en un pesebre sucio de la pequeña villa de Belén. Aún muy pequeño, se convirtió en un refugiado en Egipto. Fue criado y educado en la modesta villa de Nazaret, y trabajó en un banco de carpintero para sostener a su madre y a los otros niños de la casa. A su debido tiempo, se convirtió en predicador itinerante, con muy pocas posesiones, con comodidades limitadas y sin hogar. Hizo amistades entre sencillos pescadores y publicanos. Posó las manos sobre leprosos y permitió que prostitutas lo tocaran. Se dio continuamente a un ministerio de curación, ayuda, enseñanza y predicación.

No se lo comprendió. Se lo calumnió. Y se convirtió en la víctima de los prejuicios humanos y de los intereses creados. Fue despreciado y rechazado por su propio pueblo, y abandonado por sus propios amigos. Expuso su espalda para que fuera flagelada, su cara para que fuera escupida, su cabeza para que fuera coronada de espinas, sus manos y sus pies para que fueran clavados en una cruz romana. Y a medida que sufría, oraba por sus verdugos, diciendo: 'Padre perdónalos, porque no saben lo que hacen'.

Jesús fue sin pecado porque estuvo libre del egoísmo. La ausencia del egoísmo es el amor. Y Dios es amor.

Tal hombre está fuera del alcance de nuestra comprensión. Triunfó donde nosotros fracasamos invariablemente. Tuvo completo dominio de sí mismo. Nunca se vengó. Nunca mostró resentimiento ni se irritó. Tuvo tal dominio de sí mismo que ante cualquier cosa que los hombres le hicieran o dijeran, él se negaba a sí mismo y se entregaba a la voluntad de Dios para el bienestar de la raza humana. 'No trato de hacer mi voluntad', dijo (Juan 5.30). 'Yo no busco mi gloria' (Juan 8.50). Como escribió Pablo: 'Porque tampoco Cristo buscó agradarse a sí mismo' (Romanos 15.3).

Esta total entrega de sí mismo al servicio de sí mismo y del hombre es lo que la Biblia llama amor. En el amor no hay interés propio. La esencia del amor es el sacrificio de uno mismo. Aun los peores hombres tienen a veces destellos de nobleza; pero la vida de Jesús irradió una luz incandescente que jamás se empañó.

La conclusión final de todo el asunto es esta: Jesús fue sin pecado porque estuvo libre del egoísmo. La ausencia del egoísmo es el amor. Y Dios es amor.

Guía de estudio 3
El carácter de Cristo

Propósito Completar el estudio de la semana pasada, y prestar especial atención al carácter de Cristo. Reflexionar sobre la coherencia entre sus palabras y sus hechos.

Preguntas **1.** ¿Cuáles son las cualidades del carácter de Cristo que se destacan en los Evangelios? Hacer una lista completa con el aporte de los miembros del grupo. Compartir las reacciones que nos provocan: curiosidad, interés, preocupación...

2. ¿Por qué razón el carácter de Cristo confirma su pretensión de deidad?

3. ¿Qué sentido tuvo el bautismo de Jesucristo, si él no era pecador (página 58)?

4. 'Los discípulos de Cristo tenían prejuicios, y esto se muestra en su testimonio respecto a la perfección de su maestro'. Discutir esta afirmación.

5. 'Pues nuestro Sumo sacerdote puede tener compasión de nosotros por nuestra debilidad, porque él mismo sufrió toda clase de pruebas igual que nosotros, pero sin llegar a pecar' (Hebreos 4.15). (Explicar el papel del sumo sacerdote en el Antiguo Testamento).

¿Tienen estas palabras valor para nosotros, especialmente si tomamos en cuenta que muchas tentaciones que recibimos son típicas de nuestra época? Dar razones. ¿Por qué es este Sumo sacerdote superior a todos los anteriores?

6. ¿Cómo se pueden explicar los 'pecados' de los cuales Jesús fue acusado (páginas 62–64)?

7. ¿En qué aspectos se percibe una coherencia entre el carácter de Jesús y sus pretensiones? ¿Por qué es importante que las acciones del cristiano armonicen con sus palabras? Revisar nuestra propia vida a la luz de la necesidad de coherencia. Orar juntos.

Para el próximo encuentro

1. Leer el capítulo 4 de *Cristianismo básico.*

2. Leer Mateo 27.11–28.20; Marcos 15.1–16.8; Lucas 23.13–24.53; Juan 18.28–21.25.

3. Comenzar un diario de reflexión y oración personal. Anotar dudas, inquietudes, descubrimientos a partir de lo que venimos estudiando.

Para seguir leyendo

Conoce a Jesús, Silvia Chaves, Certeza Argentina, 2004.

Hacia una espiritualidad evangélica comprometida, Harold Segura Carmona, Kairós, 2002.

Nuevo Diccionario Bíblico Certeza, artículo: 'Jesucriso, vida y enseñanza', páginas 693–706, Certeza Unida, 2003.

Por sobre todo cuida tu corazón, Ricardo Barbosa de Sousa, Kairós, 2005.

El liderazgo de Jesús, Jim Coté, Puma, 2003.

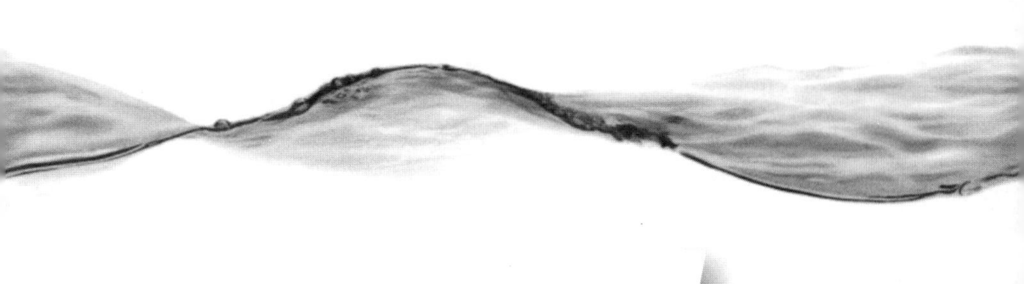

4 La resurrección de Cristo

Hemos considerado las extravagantes pretensiones a la vez que el carácter altruista de Jesús. Ahora examinaremos la evidencia de su resurrección histórica de entre los muertos.

Evidentemente, si la resurrección efectivamente sucedió, tiene una importancia de tremenda magnitud. Si se puede demostrar que Jesús de Nazaret se levantó de entre los muertos, entonces no queda duda de que se trata de una figura única. No es asunto de su supervivencia espiritual ni de su resurrección física, sino de su conquista de la muerte y de su resurrección a un nuevo plano superior de vida. No sabemos de nadie que haya pasado por una experiencia similar. Por eso el hombre moderno se muestra irónico, al igual que los filósofos atenienses que oyeron predicar a Pablo en el Areópago de Atenas: 'Al oír eso de la resurrección de los muertos, unos se burlaron' (Hechos 17.32).

El argumento no es que la resurrección determina su divinidad de un modo concluyente, sino que es consecuente con la misma. Es de esperarse que una persona sobrenatural pueda aparecer y desaparecer del mundo de un modo también sobrenatural. Esto es, en efecto, lo que el Nuevo Testamento enseña, y la iglesia cristiana siempre ha creído. El nacimiento de Jesús fue natural, pero su concepción sobrenatural. Su muerte fue natural pero su resurrección sobrenatural. Su concepción milagrosa y su resurrección no prueban su deidad pero son consecuentes con ella.[1]

Cada vez que Jesús predijo su muerte agregó que resucitaría, y describió su resurrección como una 'señal'. Al principio de su Carta a los Romanos, Pablo indica que Jesús 'a partir de su resurrección fue constituido Hijo de Dios con plenos poderes' (Romanos 1.4). Y los primeros sermones de los apóstoles, registrados en el libro de Hechos de los Apóstoles, repetidamente afirman que Dios revocó la sentencia contra el hombre y reivindicó a su Hijo por medio de la resurrección.

En relación a esta resurrección el evangelista Lucas, conocido como un historiador ordenado, concienzudo y meticuloso, dice que existen 'claras pruebas' (Hechos 1.3). Tal vez no podamos ir tan lejos como Thomas Arnold y decir que la resurrección es 'el hecho mejor comprobado de la historia', pero la verdad es que muchos estudiosos imparciales han juzgado que la evidencia es extremadamente buena. Por ejemplo, sir Edward Clarke escribió lo que sigue al doctor E. L. Macasy:

> Como abogado he realizado un estudio prolongado de las evidencias de los sucesos ocurridos el primer día de la resurrección. Para mí la evidencia es concluyente, y tal vez he conseguido veredictos de la Suprema Corte de Justicia con evidencias que no eran tan terminantes. La inferencia sigue a la evidencia, y el testigo es siempre sencillo, natural y libre de recursos efectistas. La evidencia que ofrecen los Evangelios al respecto pertenece a esta clase, y como abogado yo la acepto sin reservas como testimonio de hechos veraces que ellos pudieron comprobar.

¿Cuál es la evidencia? Podemos resumirla en cuatro puntos.

El cuerpo había desaparecido

La narraciones de los cuatro Evangelios relativos a la resurrección comienzan con la visita que hicieron unas mujeres al sepulcro en las primeras horas del domingo de resurrección.

Al llegar se quedaron sorprendidas al comprobar que había desaparecido el cuerpo del Señor.

No muchos días después los apóstoles comenzaron a predicar que Jesús había resucitado. Ese fue el tema central de su mensaje. Pero hubiera sido imposible que los hombres creyeran lo que decían si hubiera bastado caminar un corto trecho para llegar a la tumba de José de Arimatea donde todavía se encontraba el cuerpo del Señor. No. El sepulcro estaba vacío. El cuerpo ya no estaba allí y de eso no cabe duda. El problema es cómo explicar el hecho.

En primer término, existe la teoría de que *las mujeres se dirigieron a un sepulcro equivocado*. Que todavía estaba oscuro, que ellas iban embargadas por el dolor. En tales circunstancias, se dice, pudieron cometer el error con toda facilidad.

La teoría es razonable, pero no resiste el análisis. Para empezar, no estaba completamente oscuro. Es verdad que Juan dice que las mujeres fueron 'muy temprano, cuando todavía estaba oscuro' (Juan 20.1). Pero en Mateo 28:1 (RVR 95) se dice que 'estaba amaneciendo', mientras que Lucas afirma que era 'muy temprano' y Marcos dice claramente 'ya salido el sol' (16.2).

Por otra parte, aquellas mujeres no eran unas tontas. Por lo menos dos de ellas vieron el lugar donde José y Nicodemo habían colocado el cadáver de Jesús (Marcos 15.47, Lucas 23.55).

Habían observado todo el proceso del sepelio, 'sentadas frente al sepulcro' (Mateo 27.61). Las mismas dos (María Magdalena y María, la madre de Jesús) volvieron al amanecer, llevando consigo a Salomé, Juana, 'y las otras mujeres' (Marcos 16.1, Lucas 24.10), de modo que si alguna hubiese confundido la tumba, las demás la hubieran rectificado. Y si María de Magdala hubiese ido equivocadamente la primera vez, hubiese sido muy difícil que volviera a repetir el error al regresar en la plena luz de la mañana y quedarse en el jardín hasta que Jesús la encontró.

Además, no fue un mero dolor sentimental el que las llevó al sepulcro tan temprano. Fueron a cumplir una misión de orden práctico. Habían comprado especies aromáticas e iban a terminar el ungimiento del cuerpo de su Señor, ya que dos días antes su trabajo había sido hecho con apuro, debido a que se acercaba el día de descanso. Aquellas piadosas mujeres, de gran sentido práctico, no eran de las personas que se engañan o equivocan fácilmente o abandonan el trabajo que tienen que efectuar. Más todavía. Suponiendo que ellas se equivocaran de sepulcro, ¿también se equivocaron Pedro y Juan, que corrieron a verificar lo que se les dijo, lo mismo que otras personas que acudieron más tarde, incluyendo a José de Arimatea y a Nicodemo en persona?

La segunda explicación de la tumba vacía es *la teoría del desmayo*. Quienes la mantienen quieren hacernos creer que Jesús no murió en la cruz, sino que solamente se desmayó. Luego revivió en la tumba, la abandonó y posteriormente se presentó ante los discípulos.

Semejante teoría está colmada de problemas. Es perversa. La evidencia la contradice por completo. Desde luego que Pilato debió sorprenderse al saber que Jesús ya había muerto, pero quedó tan convencido con la seguridad del centurión que dio permiso a José para que retirara el cuerpo de la cruz. El centurión romano estaba seguro porque indudablemente estaba presente cuando 'uno de los soldados le abrió el costado con una lanza, y al momento salió sangre y agua' (Juan 19.34; ver Marcos 15.44–45). Así que José y Nicodemo bajaron el cuerpo del Señor, lo envolvieron en lienzos funerarios y lo colocaron en el sepulcro nuevo de José.

La concepción milagrosa y la resurrección de Jesús no prueban su deidad pero son consecuentes con ella.

¿Podemos entonces creer seriamente que Jesús estuvo desmayado durante todo este proceso? ¿Que después de los rigores y dolores del juicio, de las burlas, de los azotes y la crucifixión pudo sobrevivir treinta y seis horas en un sepulcro de piedra, sin calor ni alimentos ni cuidado médico? ¿Que pudo reunir fuerzas suficientes como para realizar la obra sobrehumana de remover la inmensa piedra que cerraba la boca del sepulcro, y todo esto sin que lo notara la guardia de soldados romanos que vigilaba la tumba? ¿Que luego, débil, herido y hambriento, se presentó a los discípulos de tal manera que les dio la impresión de que había conquistado la muerte? ¿Que pudo pretender haber muerto y resucitado, que pudo enviarles a predicar a todo el mundo y prometerles que estaría con ellos hasta el fin de las edades? ¿Que pudo permanecer escondido en algún lugar distante por algunos días apareciéndose por sorpresa ocasionalmente, para luego desaparecer sin ninguna explicación? Tal ingenuidad es más increíble que la incredulidad de Tomás.

En tercer lugar, existe la idea de que *ciertos ladrones robaron el cuerpo*. No hay ni pizca de evidencia para tal conjetura. Tampoco se puede explicar cómo los ladrones podían haber engañado a la guardia romana. Ni es posible imaginar por qué iban a llevarse el cadáver y a dejar los lienzos tendidos, ni qué motivos podían tener para realizar tal acción.

En cuarto lugar, se ha dicho que *los discípulos robaron el cadáver*. El evangelista Mateo dice que ese fue un rumor que los judíos hicieron correr los primeros días del suceso. Describe cómo Pilato, después de haber dado permiso a José para retirar el cuerpo de Cristo, recibió una delegación de los príncipes de los sacerdotes y de los fariseos, que dijeron:

> Señor, recordamos que aquel mentiroso,
> cuando aún vivía, dijo que después de tres días
> iba a resucitar. Por eso, mande usted asegurar el
> sepulcro hasta el tercer día, no sea que vengan
> sus discípulos y roben el cuerpo, y después
> digan a la gente que ha resucitado. En tal caso,
> la última mentira sería peor que la primera.
>
> Mateo 27.63–65

Pilato accedió: 'Ahí tienen ustedes soldados de guardia', les dijo. Y añadió: 'Vayan ustedes y aseguren el sepulcro lo mejor que puedan.' Mateo luego describe cómo ni la piedra, ni el sello, ni la guardia pudieron evitar la resurrección, y cómo la guardia fue a la ciudad para informar a los sumos sacerdotes lo que había sucedido. Después de consultar entre ellos, sobornaron a los soldados:

> Ustedes digan que durante la noche, mientras ustedes dormían, los discípulos de Jesús vinieron y robaron el cuerpo. Y si el gobernador se entera de esto, nosotros lo convenceremos, y a ustedes les evitaremos dificultades.Los soldados recibieron el dinero e hicieron lo que se les había dicho. Y esta es la explicación que hasta el día de hoy circula entre los judíos.
>
> Mateo 28.13–15

Pero esta teoría está llena de agujeros. ¿Puede alguien creer que una guardia de soldados escogidos, judíos o romanos, se dormiría en su totalidad cuando había recibido órdenes de vigilar? Y si se quedaron despiertos, ¿cómo se las arreglaron las mujeres para pasar inadvertidas y echar a rodar la piedra del sepulcro?

Aun suponiendo que los discípulos hubieran logrado llevarse el cuerpo del Señor, todavía existe un factor psicológico que conspira contra la teoría. En la primera parte de Hechos de los Apóstoles se nos dice que en su predicación inicial los apóstoles pusieron mucho énfasis en la resurrección. Su estribillo fue: 'Ustedes lo mataron, pero Dios lo levantó de entre los muertos, y nosotros somos testigos de ello'. ¿Hemos de creer que ellos proclamaron lo que sabían era una mentira deliberada? Si ellos mismos habían tomado el cuerpo de Jesús, predicar la resurrección era difundir una falsedad planeada alevosamente. Pero resulta que ellos no solamente predicaron la resurrección: sufrieron por ello. Estuvieron dispuestos a ser encarcelados, azotados y llevados a la muerte, por un cuento de hadas.

Esto no suena cuerdo. Es tan sin sentido que resulta imposible. Si algo surge con claridad de los Evangelios y de Hechos de los Apóstoles, es que estos primeros seguidores de Jesús eran sinceros. Podían haber sido engañados, si se quiere, pero no eran engañadores. Los hipócritas y los mártires no están hechos del mismo material.

La quinta y probablemente la más razonable (aunque no por eso menos hipotética) de las explicaciones humanas relacionadas con la desaparición del cuerpo del Señor, es que *las autoridades judías o romanas se hicieron cargo de él.* Ciertamente tenían una buena razón para hacer esto. Habían oído que Jesús había anunciado su resurrección y tenían temor a la superchería. Por eso, dice el argumento, a fin de frustrar la trampa, tomaron la precaución de confiscar el cuerpo.

El cuerpo de Cristo no fue tomado por los hombres: lo levantó Dios.

Sometida al examen, también esta teoría resulta insostenible. Ya hemos visto que dentro de pocas semanas después de la muerte de Jesús, los apóstoles estaban proclamando audazmente que Cristo había resucitado. La noticia se difundió con rapidez. El nuevo movimiento nazareno amenazó minar los bastiones del judaísmo y perturbar la paz de Jerusalén. Los judíos tenían las conversiones y los romanos las sediciones. Las autoridades tenían delante de sí un camino fácil y expedito: exhibir el cadáver y publicar lo que habían hecho.

Lejos de eso, permanecieron mudos y acudieron a la violencia. Arrestaron a los apóstoles, los amenazaron, los azotaron, los encarcelaron, los vilipendiaron, los persiguieron y los mataron. Pero todo eso hubiese sido innecesario si hubiesen tenido el cuerpo de Cristo. La iglesia fue fundada sobre la resurrección. Si se hubiese probado la falsedad de este acontecimiento, la iglesia hubiera desaparecido. Pero aquellos hombres no pudieron negarlo: no tenían el cuerpo del Señor. El silencio de las autoridades es una prueba tan elocuente de la resurrección como el testimonio de los apóstoles.

Estas son las teorías que los hombres han inventado para tratar de explicar la tumba vacía y la desaparición del cuerpo de

Jesús. Ninguna es satisfactoria y ninguna se apoya en la evidencia histórica. A falta de una explicación que ofrezca una alternativa adecuada, quizá se nos disculpe si preferimos la simple y sobria narración de los Evangelios, en que se describen los sucesos de aquel primer domingo de resurrección. El cuerpo de Cristo no fue tomado por los hombres: lo levantó Dios.

Los lienzos funerarios estaban en orden

Llama poderosamente la atención que los relatos que afirman que el cuerpo de Cristo había desaparecido también informan que los lienzos funerarios estaban en el sepulcro. Es Juan el que da énfasis especial a este hecho, porque él acompañó a Pedro en la dramática carrera que efectuaron temprano hasta el sepulcro. El relato que Juan hace del incidente (20.1–10) tiene las características inequívocas de una experiencia vivida personalmente. Él corrió más rápido que Pedro, pero al llegar a la tumba no hizo más que mirar hacia adentro, hasta que Pedro llegó y entró. 'Entonces entró también el otro discípulo, el que había llegado primero al sepulcro, y vio lo que había pasado, y creyó.' La pregunta es: ¿qué vio que le hizo creer? La narración sugiere que no fue simplemente la ausencia del cuerpo sino la presencia de los lienzos empleados para el sepelio y, especialmente, el orden en que se encontraban.

Tratemos de reconstruir el relato.[2] Juan nos dice (19.38–42) que, mientras José de Arimatea solicitaba el cuerpo de Jesús, Nicodemo 'llegó con unos treinta kilos de un perfume, mezcla de mirra y áloe'. Luego, juntos 'tomaron el cuerpo de Jesús y lo envolvieron con vendas perfumadas con esa mezcla, según la costumbre que los judíos tienen para enterrar a los muertos'. En otras palabras, envolvieron el cuerpo con fajas o vendas de suave hilo, espolvoreando un paño (o toalla) separado.[3] O sea que envolvieron todo el cuerpo y la cabeza, dejando al descubierto la cara y el cuello, según las costumbres orientales. Después de esto, colocaron el cadáver sobre la loza de piedra que había sido cavada en el costado de la tumba.

Ahora bien, supongamos que nosotros hubiésemos estado presentes en el sepulcro cuando la resurrección de Jesús tuvo lugar. ¿Qué habríamos visto? ¿Habríamos visto a Jesús moverse, luego bostezar y estirarse, y por último levantarse? No. No creemos que él haya vuelto a esta vida. No volvió de un desmayo. Había muerto, y se levantó de nuevo. Se trataba de una resurrección, no de un resurgimiento. Creemos que pasó milagrosamente a una esfera de existencia totalmente distinta. ¿Qué hubiéramos visto, entonces, si hubiéramos estado allí? Hubiéramos notado de pronto que el cuerpo había desaparecido. Se había 'evaporado', trasmutado en algo nuevo, diferente y maravilloso. Habría pasado a través de los lienzos y vendas funerarios, así como más tarde pasó por las puertas cerradas, dejándolos en la forma en que estaban y casi sin tocar. Casi, pero no del todo. Las ropas que habían envuelto el cuerpo se habían aplastado por el peso de los treinta kilos de aroma, una vez que ya no estuvieron sostenidas por el cuerpo. Habría quedado un espacio entre los lienzos que habían envuelto el cuerpo y el paño que había tenido envuelta la cabeza, donde habían estado el rostro y el cuello. Y la tela que había servido para envolver la cabeza, a causa de la compleja red de las vendas, habría retenido su forma cóncava, como un turbante arrugado, pero sin la cabeza adentro.

No creemos que Jesús haya vuelto de un desmayo. Había muerto, y se levantó de nuevo.

Un cuidadoso estudio del texto de la narración que Juan hace sugiere que fueron precisamente estas tres características de los lienzos descartados las que vio el discípulo amado. Primero, 'vio allí las vendas.' Esta expresión se repite dos veces (20.5–6). La primera vez ocupa una posición que le da énfasis en la cláusula en griego. Podríamos traducir: 'vio, puestas allí (o 'echadas') las vendas'. Además, 'vio que la tela que había servido para envolver la cabeza de Jesús no estaba junto a las vendas, sino enrollada y puesta aparte' (20.7). Es muy improbable que esto quiera decir que haya sido envuelta y echada en un rincón. Estaba todavía sobre la loza de piedra, pero separada de los lienzos que habían envuelto el cuerpo, a una distancia notable. Por último, la tela estaba 'enrollada'. La palabra en griego describe apropiadamente la forma redondeada que el sudario todavía mantenía.

No es difícil imaginar el cuadro que se presentó a los ojos de los azorados apóstoles cuando éstos llegaron a la tumba: la loza de piedra, los lienzos funerarios puestos allí, el sudario en forma de caparazón y la distancia entre éste y aquellos. No es de sorprenderse que vieran y creyeran. Un vistazo a los lienzos funerarios bastó para demostrarles la realidad y señalarles la naturaleza de la resurrección. Los lienzos no habían sido tocados, ni enrollados, ni manipulados por ningún ser humano. Parecían una crisálida vacía después de la salida de la mariposa.

La condición en que se encontraban los lienzos funerarios tenían la intención de servir como evidencia concreta de la resurrección.

La condición en que se encontraban los lienzos funerarios tenía la intención de servir como evidencia concreta de la resurrección. Que así fue en efecto, salta a la vista por el hecho de que María Magdalena (que había regresado al sepulcro después de llevar las nuevas a Pedro y Juan) 'se agachó para mirar dentro, y vio dos ángeles vestidos de blanco, sentados donde había estado el cuerpo de Jesús; uno a la cabecera y otro a los pies' (Juan 20.11–12). Al parecer esto quiere decir que estaban sentados sobre la loza de piedra, con los lienzos entre los dos. Tanto Mateo como Marcos agregan que uno de los ángeles exclamó: 'No está aquí, sino que ha resucitado, como dijo. Vengan a ver el lugar donde lo pusieron' (Mateo 28.6, Marcos 16.6). Sea que el lector crea o no en los ángeles, estas referencias al lugar donde Jesús yació, subrayado por la posición y las palabras de los ángeles, confirma por lo menos, según el entendimiento de los evangelistas, que la posición de los lienzos y la ausencia del cuerpo eran testigos presentes de la resurrección.

El Señor fue visto

Todo lector de los Evangelios sabe que éstos incluyen varias narraciones extraordinarias de cómo Jesús apareció a sus discípulos después de la resurrección. Se mencionan diez apariciones separadas del Señor resucitado a quienes Pedro llama testigos escogidos (Hechos 10.41). Se nos dice que apareció a María Magdalena, a las mujeres que regresaban del sepulcro, a Pedro, a los dos discípulos que se dirigían a Emaús, a los diez que estaban reunidos en el Aposento Alto, a los Once (incluyendo a Tomás una semana después), 'a más de quinientos hermanos a la vez' (probablemente en algún monte de Galilea), a Santiago, a varios otros discípulos (incluyendo a Pedro, Tomás, Natanael, Santiago y Juan, junto al mar de Galilea), y a muchos otros en el Monte de los Olivos cerca de Betania, en el momento de la ascensión. En 1 Corintios 15 Pablo se suma a la lista de quienes vieron al Señor resucitado, refiriéndose a su experiencia en el camino de Damasco. Y en vista de que Lucas declara al comienzo de Hechos de los Apóstoles que 'después de muerto se les presentó en persona, dándoles así claras pruebas de que estaba vivo. Durante cuarenta días se dejó ver de ellos' (Hechos 1.3), es muy posible que hubiera habido otras apariciones que no han quedado consignadas.[4]

No podemos echar por la borda todo este testimonio vivo de la resurrección. Tenemos que encontrar alguna manera de explicar estas narraciones. Sólo hay tres explicaciones posibles. La primera es que se trata de ilusiones; la segunda, que son alucinaciones; la tercera, que son verídicas.

¿Fueron invenciones? No hay necesidad de invertir mucho tiempo para refutar esta idea. Que los relatos de las apariciones de Jesús no son invenciones deliberadas es tan claro como el sol que nos alumbra. Por un lado, las narraciones son sobrias y desprovistas de todo adorno. Por otro lado, son muy gráficas, y están marcadas por los detalles propios de testigos oculares. Los relatos de la carrera a la tumba y de la caminata a Emaús son demasiado vívidos y reales como para haber sido inventados.

Además, nadie podría llamarlos buenos inventos. Si hubiésemos querido inventar la resurrección, nosotros probablemente hubiésemos hecho un relato mucho mejor. Hubiésemos tenido cuidado de evitar el complicado laberinto de sucesos que se ofrecen en los cuatro Evangelios en conjunto. Hubiéramos tenido cuidado de eliminar, o al menos atenuar las dudas y temores de los discípulos. Probablemente hubiéramos incluido un episodio dramático de la resurrección misma (a la manera de los Evangelios apócrifos), describiendo el poder y la gloria del Hijo de Dios al romper las cadenas de la muerte e irrumpir triunfante del sepulcro. Pero nadie vio el suceso mismo y no tenemos descripción alguna de él. Además, no hubiéramos escogido a María Magdalena para que fuese la primera testigo de la resurrección aunque no fuera nada más que para evitar el cinismo de Ernesto Renán cuando dice que 'la pasión de una alucinada dio al mundo un dios resucitado'.

No podemos echar por la borda todo el testimonio vivo de la resurrección.

Hay una objeción a la teoría de la invención que es más poderosa que la ingenuidad de las narraciones. Es el hecho evidente de que tanto los apóstoles como los evangelistas y la iglesia primitiva, como hemos dicho antes, estaban totalmente convencidos que Jesús había resucitado. Todo el Nuevo Testamento respira una atmósfera de certidumbre y conquista. Admitamos que los escritores podían haber estado precisamente equivocados; pero no llevaron a nadie a la equivocación deliberadamente.

Si estos relatos no son invenciones, ¿fueron entonces las apariciones mismas alucinaciones? Semejante opinión ha estado en boga y ha sido defendida con mucha confianza, y por cierto, las alucinaciones son un fenómeno común. La alucinación es 'la percepción aparente de un objeto externo cuando tal objeto no está presente', y la mayoría de las veces se halla asociada con alguien que es por lo menos neurótico, cuando no psicótico.

Casi todos hemos conocido gente que ve cosas y oye voces y a veces o siempre vive en un mundo imaginario, un mundo propio. No es posible decir que los apóstoles fueran desequilibrados de este tipo. María Magdalena pudo haberlo sido, pero no el impetuoso Pedro o el escéptico Tomás.

También se sabe que las alucinaciones pueden ocurrir en personas comunes y normales, y en tales casos se observan por lo general dos características. En primer lugar, ocurren como la culminación de un período de intenso deseo de alguna cosa. En segundo lugar, las circunstancias de tiempo, lugar y temperamento son favorables. Tiene que existir un gran deseo interno y una predisposición del escenario externo.

Sin embargo, cuando analizamos los relatos de la resurrección en los Evangelios, encontramos que faltan estos factores. Lejos de haber un deseo intenso, sucede todo lo contrario. Cuando las mujeres inicialmente encontraron la tumba vacía, huyeron 'asustadas', dominadas por la agitación y el espanto . Cuando María Magdalena y las otras mujeres informaron que Jesús estaba vivo, los apóstoles no lo creyeron; 'les pareció una locura lo que ellas decían' (Lucas 24.11). Cuando Jesús mismo vino y se paró en medio de ellos, 'se asustaron mucho, pensando que estaban viendo un espíritu' (Lucas 24.37) y Jesús 'los reprendió por su falta de fe y su terquedad' (Marcos 16.14). Tomás se mostró inflexible en su negativa a creer, a menos que pudiera ver y palpar las señales de los clavos. Cuando más tarde Cristo se encontró con los once y con otras personas en un monte de Galilea, 'lo adoraron, aunque algunos dudaban' (Mateo 28.17). Vemos, pues, que no había ni deseo intenso, ni credulidad ingenua, ni aceptación ciega. Los discípulos no eran crédulos, sino mas bien precavidos y escépticos, 'faltos de comprensión … y lentos para creer' (Lucas 24.25), poco propensos a alucinaciones o visiones. Basaban su fe en hechos desnudos de experiencia verificable.

Pero hay más todavía. También faltaron circunstancias externas favorables. Si las apariciones hubiesen ocurrido en uno o dos lugares especialmente sacros, santificados por la memoria de Jesús, y los apóstoles hubiesen estado esperando que su Maestro se les apareciese, habría lugar para nuestra sospecha. Si solamente contáramos con el relato de las apariciones en el aposento alto, tendríamos razón para dudar e interrogar. Si los once se hubieran reunido en ese lugar especial donde Jesús pasó con ellos algunas de sus últimas horas terrenales, y si hubiesen reservado vacante su lugar y añorado sentimentalmente los días maravillosos del pasado, recordando su promesa de volver; y si hubiesen comenzado a preguntarse si volvería y a esperar que efectivamente podría hacerlo, hasta que el ardor de la expectativa culminara en la aparición repentina de Jesús, podríamos creer y temer que los apóstoles fueran el objeto de una cruel alucinación.

Pero las cosas no sucedieron así. Al contrario: el análisis de las diez apariciones revela una gran variedad en las circunstancias de personas, lugar y estado de ánimo implicadas en cada caso. Fue visto por individuos a solas (María Magdalena, Pedro y Santiago), por grupos pequeños, y por más de quinientas personas juntas. Apareció en el jardín del sepulcro, cerca de Jerusalén, en el aposento alto, en el camino a Emaús, junto al mar de Galilea, en un monte de Galilea y en el monte de los Olivos.

Si no fueron invenciones ni alucinaciones, la única alternativa que queda es que la resurrección efectivamente sucedió.

Y si hubo variedad de personas y lugares, también la hubo en lo que respecta a la disposición de ánimo de quienes lo vieron. María Magdalena estaba llorando; las mujeres estaban temerosas y azoradas; Pedro, lleno de remordimientos, y Tomás, de incredulidad. La pareja que caminaba hacia Emaús estaba distraída por los acontecimientos de la semana, y los discípulos de Galilea por la pesca. Sin embargo, en medio de sus dudas y temores, de su incredulidad y su preocupación, el Señor resucitado se dio a conocer a ellos.

Es imposible echar por la borda estas revelaciones del divino Señor como alucinaciones de mentes humanas desequilibradas. Pero si no fueron invenciones ni alucinaciones, la única alternativa que queda es que la resurrección efectivamente sucedió. Vieron al Señor resucitado.

Los discípulos transformados

Tal vez la transformación de los discípulos de Jesús es la mayor evidencia de la resurrección, puesto que aparece completamente libre de engaños. No nos invitan a mirarlos, así como nos invitan a mirar el sepulcro vacío y los lienzos echados y al Señor a quienes ellos habían visto. Podemos observar el cambio producido en ellos sin que nos lo digan. Los hombres que aparecen en las páginas de los Evangelios son nuevos y distintos en las páginas de Hechos de los Apóstoles. La muerte de su Maestro los había dejado abatidos, desilusionados y al borde de la desesperación. Pero en Hechos de los Apóstoles emergen como hombres que arriesgan la vida por el nombre del Señor Jesucristo y que transforman el mundo entero (Hechos 15.26; 17.6).

¿Qué produjo ese cambio? ¿Cómo explicar su nueva fe, su poder, su gozo y su amor? En parte, sin duda, el cambio se debió a Pentecostés y la llegada del Espíritu Santo, pero el Espíritu Santo vino solamente cuando Jesús había resucitado y ascendido. Es como si la resurrección hubiera desatado poderosas fuerzas morales y espirituales. Sobresalen dos ejemplos.

El primero es el de Pedro. Durante la descripción de la pasión de Jesús, Pedro desaparece del cuadro. Ha negado a Cristo tres veces. Ha maldecido y jurado como si nunca hubiese conocido la influencia y el control de Jesús en su vida. Ha salido en la noche para llorar amargamente. Cuando Jesús está muerto, se reúne con los demás en el aposento alto, a puerta cerrada, 'por miedo a las autoridades judías' (Juan 20.19) y se siente abatido.

Sin embargo, al pasar una o dos páginas en el Nuevo Testamento, lo vemos de pie, tal vez en las gradas fuera del mismo aposento alto de la misma casa en Jerusalén, predicando tan atrevidamente y con tanto poder a una gran multitud, que tres mil personas creyeron en Cristo y fueron bautizadas. Unos capítulos más adelante lo encontramos desafiando al mismo Sanedrín que condenó a Jesús a muerte y regocijándose de sufrir por el nombre de Jesús. Poco después lo vemos durmiendo en la celda de la cárcel, la noche anterior de su probable ejecución (Hechos 2.14–41; 4.1–22; 5.41; 12.1–6).

Simón Pedro es un hombre nuevo. La arena movediza ha desaparecido. De acuerdo a su sobrenombre, ahora es realmente una piedra. ¿Qué produjo el cambio en él?

O tomemos el caso de Santiago, quien asumió más tarde la posición de líder de la iglesia de Jerusalén. Es uno de 'los hermanos del Señor' que, según los Evangelios, no creían en Jesús: 'ni siquiera sus hermanos creían en él' (Juan 7.5). Pero cuando llegamos al primer capítulo de Hechos de los Apóstoles, la lista que Lucas ofrece de los discípulos reunidos concluye con estas palabras: '... y con sus hermanos' (Hechos 1.14). Evidentemente, Santiago es ahora creyente. ¿Qué produjo el cambio en él? ¿Quién lo convenció? Es probable que la clave que buscamos esté en 1 Corintios 15.7, donde Pablo, al dar la lista de quienes vieron al Jesús resucitado, agrega: 'después se apareció a Santiago'.

Nada explica mejor estos fenómenos como la gran afirmación cristiana: 'El Señor ha resucitado verdaderamente.'

Lo que transformó el miedo de Pedro en coraje y la duda de Santiago en fe, fue la resurrección de Cristo. Ésta cambió el *shabat* en domingo y el remanente judío en iglesia cristiana. Cambió a Saulo el fariseo en Pablo el apóstol, al fanático perseguidor en un predicador de la fe que previamente había tratado de destruir. Y esto guarda conexión con lo que el mismo Pablo escribió: 'Por último, se me apareció también a mí' (1 Corintios 15.8).

Estas son las evidencias de la resurrección. El cuerpo había desaparecido. Los lienzos estaban en orden. El Señor fue visto. Los discípulos fueron transformados. Nada explica tan adecuadamente estos fenómenos como la gran afirmación cristiana: 'El Señor ha resucitado verdaderamente.'

Durante los tres capítulos anteriores nos hemos ocupado de la investigación crítica de la personalidad más cautivante de la historia: un modesto carpintero de Nazaret que llegó a ser un aldeano predicador y murió como un criminal.

> Sus pretensiones fueron estupendas.
> Parece haber sido moralmente perfecto.
> Se levantó de entre los muertos.

El peso acumulativo de toda evidencia no es concluyente. Da una base evidentemente razonable para ese último paso de la fe que nos echa de rodillas delante de él y pone en nuestros labios la poderosa confesión de un Tomás incrédulo: '¡Mi Señor y mi Dios!' (Juan 20.28).

Guía de estudio 4

La resurrección de Cristo

Propósito Ayudar a los miembros del grupo a comprender que la resurrección de Cristo fue un acontecimiento histórico y tiene una importancia fundamental para nuestra vida hoy.

Preguntas **1.** La resurrección de Cristo, ¿es una razón suficiente para certificar la deidad de Cristo? Exponer sus razones.

2. ¿Cuáles de los argumentos que se han utilizado en la historia con respecto al hecho del sepulcro vacío (páginas 72–78) ¿Cuál de ellos es el más ingenuo, y por qué razón parece que es así?

3. ¿Qué importancia tiene el hecho de que se encontraron los lienzos ordenados?

4. ¿Cuáles son las razones por las que no podríamos considerar a las apariciones de Jesús a los discípulos como 'invenciones' (páginas 81–82), o 'alucinaciones' (páginas 82–83)?

5. La resurrección de Jesús transformó a los discípulos y fue la mayor evidencia de que algo trascendental había ocurrido. Describamos algunos de los efectos inmediatos de la resurrección que se advirtieron en ellos.

6. Si la resurrección no fuera verdad, ¿por qué perdería su valor la fe cristiana?

7. Vimos la secuencia de la muerte de Cristo, de su sepultura, de su resurrección, la aparición ante muchas personas y la ascensión. Pero ¿dónde está ahora? ¿Qué está haciendo en este momento? ¿Cuál será el próximo paso en el plan de Dios para su Hijo?

8. ¿Qué debe producir en nosotros el hecho de que Cristo vive hoy y de que regresará? Reflexionemos en oración acerca de lo que hemos aprendido en este capítulo.

Para el próximo encuentro

1. Leer el capítulo 5 de *Cristianismo básico.*

2. Leer Éxodo 20.1–17. Hacernos esta pregunta: Mi vida, ¿refleja las expectativas de estos mandamientos? Anotar las conclusiones en el diario personal.

Para seguir leyendo

La victoria de Cristo, John White, Certeza Argentina, 2005.

Resucitó Jesús, Stuart Park, Andamio, 1993.

Evidencia que exige un veredicto, Josh McDowell, Vida, 1992.

Apocalipsis: No tengan miedo, Jorge Atiencia y Ziel Machado, Certeza Unida, 2000.

Nuevo Diccionario Bíblico Certeza, artículo: 'Resurrección', páginas 1147–1151, Certeza Unida, 2003.

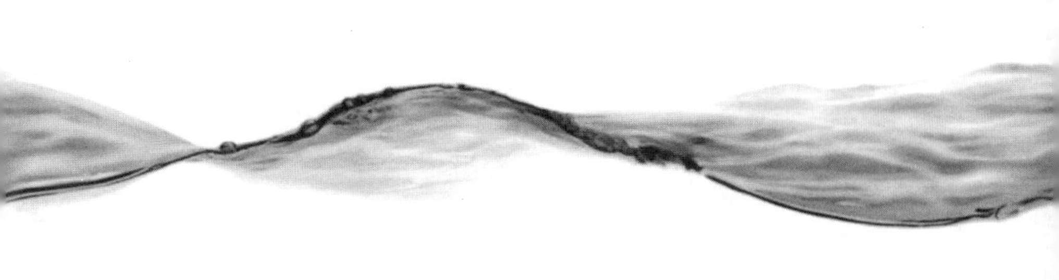

Parte II
La necesidad del ser humano

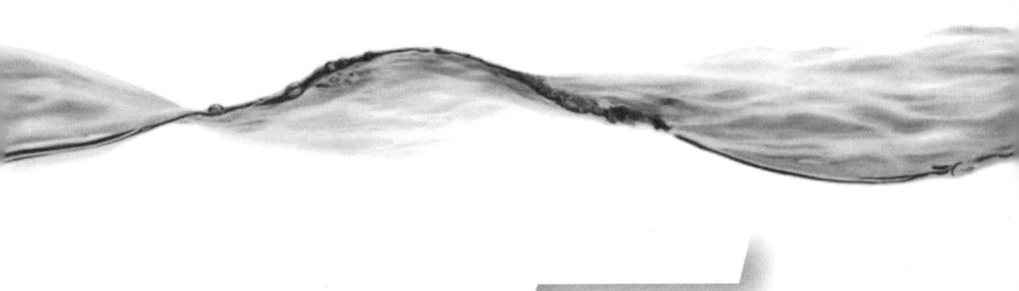

5

La realidad y la naturaleza del pecado

Hemos dedicado un espacio considerable al examen de la evidencia de la deidad de Jesucristo, y es posible que nos hayamos convencido de que él es el Señor, el Hijo de Dios. Sin embargo, el Nuevo Testamento no se ocupa únicamente de su persona, sino también de su obra. Lo presenta como el Señor que vino del cielo, pero también como el Salvador de los pecadores. En realidad, los dos hechos no pueden separarse, ya que la validez de su obra depende de la divinidad de su persona.

No obstante, a fin de apreciar la obra que Jesús realizó, es preciso que comprendamos *quienes somos* así como *quien es él*. Lo que él hizo, lo hizo por nosotros. Fue una obra acometida por una persona en favor de otras personas, una misión llevada a cabo por la única persona competente para llenar las necesidades de personas necesitadas. La competencia de Cristo estriba en su divinidad; nuestra necesidad estriba en nuestro pecado. Ya pusimos a prueba su competencia; ahora nos toca exponer nuestra necesidad.

Por eso nos volvemos de Cristo al hombre; de la perfección y la gloria que hay en él, al pecado y la vergüenza que hay en nosotros. Sólo entonces, cuando hayamos comprendido cabalmente lo que somos, estaremos en condiciones de percibir la maravilla de lo que él hizo por nosotros y lo que nos ofrece. Sólo cuando hayamos diagnosticado la enfermedad con toda precisión, estaremos dispuestos a tomar el medicamento recetado.

El pecado no es un tema popular, y muchas veces se critica a los cristianos por insistir demasiado en el asunto. Pero es que los cristianos son realistas al respecto. El pecado no es un cómodo invento de los ministros religiosos que quieren mantenerse en su puesto: es un hecho universal de la experiencia humana.

La historia de los últimos siglos ha convencido a muchos de que el problema del mal radica en la persona misma, no meramente en su sociedad. En el siglo XIX floreció un optimismo liberal. Mucha gente creía que la naturaleza humana es fundamentalmente buena, que el mal en general es causado por la ignorancia y la pobreza, y que la educación y la reforma social harían posible que los hombres vivan juntos en felicidad y buena voluntad. Sin embargo, esta ilusión ha quedado frustrada frente a los hechos ineludibles de la historia. Las oportunidades para la educación se han ampliado rápidamente en todo el mundo y han surgido muchos estados que ponen énfasis en el bien social. No obstante esto, las atrocidades que caracterizan a las últimas guerras mundiales, los constantes conflictos internacionales, la continuación de la opresión política y la discriminación racial, y el incremento general de la violencia y el crimen, han forzado a mucha gente pensante a reconocer que en cada persona existe una raíz de egoísmo.

Cando hayamos comprendido cabalmente lo que somos, estaremos en condiciones de percibir la maravilla de lo que Jesús hizo por nosotros y lo que él nos ofrece.

Muchas de las cosas que inadvertidamente se aceptan en una sociedad 'civilizada' suponen el pecado humano. Casi toda la legislación ha crecido porque no se puede confiar que los seres humanos resuelvan sus disputas con justicia y sin buscar sus propios intereses. No basta una promesa: se requiere un contrato. No bastan las puertas: hay que cerrarlas y ponerles cerrojos. No basta cobrar el pasaje: hay que entregar un boleto y poner inspectores. No basta la ley y el orden: hay que tener una policía que les dé fuerza. Todo esto se debe al pecado del ser humano. No podemos confiar los unos en los otros. Necesitamos protegernos de los demás. Esta es una terrible acusación contra la naturaleza humana.

La universalidad del pecado

Para los escritores bíblicos es muy claro que el pecado es universal. En una parte de su gran oración durante la dedicación del templo, Salomón dice: 'No hay nadie que no peque' (1 Reyes 8.46). 'Sin embargo, no hay nadie en la tierra tan perfecto que haga siempre el bien y nunca peque', agrega el predicador en el libro de Eclesiastés (7.20). Varios de los Salmos lamentan la universalidad del pecado humano. El Salmo 14, que describe a los 'necios' impíos, hace una descripción muy pesimista de la maldad humana:

> Los necios piensan que no hay Dios:
> todos se han pervertido;
> han hecho cosas horribles;
> ¡no hay nadie que haga lo bueno!
> Desde el cielo mira el Señor a los hombres
> para ver si hay alguien con entendimiento,
> alguien que busque a Dios.
> Pero todos se han ido por mal camino;
> todos por igual se han pervertido.
> ¡Ya no hay quién haga lo bueno!
> ¡No hay ni siquiera uno!
>
> Salmo 14.1–3

La conciencia del salmista le dice que si Dios se levantara en juicio contra los hombres, ni uno solo escaparía a la condenación. 'Señor, Señor, si tuvieras en cuenta la maldad, ¿quién podría mantenerse en pie?' (Salmo 130.3). Por eso la oración: 'No llames a cuentas a tu siervo, porque ante ti nadie es inocente' (Salmo 143.2), tema que se reitera a menudo.

Los profetas insisten tanto como los salmistas sobre el hecho de que todos los seres humanos son pecadores, y ninguna de sus aseveraciones son más categóricas que las que aparecen en la segunda mitad del libro de Isaías. 'Todos nosotros nos perdimos como ovejas, siguiendo cada uno su propio camino' (Isaías 53.6) y 'todos nosotros somos como un hombre impuro; todas nuestras buenas obras son como un trapo sucio'(Isaías 64.6).

La conciencia le dice al salmista que si Dios se levantara en juicio contra los hombres, ni uno solo escaparía a la condenación.

Y esto no es fantasía de los escritores del Antiguo Testamento. El apóstol Pablo inicia su carta a los Romanos argumentando elaboradamente en los tres primeros capítulos que todos los hombres son pecadores delante de Dios, sin ninguna clase de discriminación, ya sean judíos o gentiles. Describe la moral degradada del mundo pagano y luego añade que los judíos no son mejores, puesto que, aunque poseen la santa ley de Dios y la enseñan a otros, son culpables de haberla quebrantado. El apóstol luego cita de los Salmos y del profeta Isaías para ilustrar su tema, y concluye diciendo: 'Pues no hay diferencia: todos han pecado y están lejos de la presencia gloriosa de Dios' (Romanos 3.22–23). Juan es todavía más enfático, si es posible, cuando declara: 'Si decimos que no tenemos pecado, nos engañamos a nosotros mismos y no hay verdad en nosotros', y 'Si decimos que no hemos cometido pecado, hacemos que Dios parezca mentiroso' (1 Juan 1.8, 10).

Pero, ¿qué es el pecado? Que es algo universal —resulta muy evidente. ¿Cuál es su naturaleza? En la Biblia se usan varias palabras para describirlo. Se pueden agrupar en dos categorías, según se considere al pecado negativa o positivamente. Desde el punto de vista negativo, es una omisión. Una palabra lo representa como un *lapsus*, un desliz, un error. Otra lo describe como un no dar en el centro, como cuando se dispara al blanco. Otro indica que es una maldad interna, una disposición que no alcanza lo bueno.

Desde el punto de vista positivo, el pecado es una transgresión. Una palabra define al pecado como aquello que traspasa un límite. Otra muestra que es un quebrantamiento de la ley, y otra que es un acto que viola la justicia. Los dos grupos de palabras implican la existencia de un código moral. Es o un ideal que no alcanzamos o una ley que violamos. Santiago dice: 'El que sabe hacer el bien y no lo hace, comete pecado' (Santiago 4.17). Ese es el aspecto negativo. 'Todo aquel que comete pecado, infringe también la Ley; pues el pecado es infracción de la Ley', dice Juan (1 Juan 3.4, RVR). Ese es el aspecto positivo.

La Biblia acepta el hecho de que los hombres tienen normas diferentes. Los judíos tienen la ley de Moisés. Los no judíos tienen la ley de la conciencia. Pero todos los hombres han quebrantado la ley que tienen y no llegan al cumplimiento de sus propias normas. ¿Cuál es nuestro código ético? Puede ser la ley de Moisés o la ley de Jesús. Puede ser lo decente, lo que se hace, o las convenciones de la sociedad. Pueden ser las ocho sendas nobles de los budistas y los cinco pilares de conducta de los musulmanes. Pero, sea lo que sea, no hemos logrado observarlo. Todos nos condenamos a nosotros mismos.

A ciertas personas que viven 'correctamente', esta afirmación les causará una genuina sorpresa. Tienen sus ideales y creen que más o menos los cumplen. No son dadas a la introspección. No son exageradamente autocríticas. Saben que de vez en cuando cometen deslices. Reconocen ciertas deficiencias de carácter. Pero no se alarman mayormente por esto, y no se consideran peores que otras personas. Todo esto es bastante comprensible, hasta que recordamos dos cosas. Primero, que nuestro sentido de fracaso depende de la altura a la que hemos colocado nuestras normas. Es muy fácil considerarse un buen saltarín si uno nunca levanta la valla a más allá de un metro de altura. Segundo, que a Dios le interesa el pensamiento que mueve a la acción y el móvil que impulsa a la obra. Jesús dejó bien sentada esta verdad en el Sermón del Monte. Manteniendo estos dos principios en la mente, nos hará bien considerar los Diez Mandamientos que aparecen en Éxodo 20 como nuestra norma y ver hasta dónde falla cada uno de nosotros.

Los Diez Mandamientos

1. No tendrás otros dioses delante de mí

Según este mandamiento, Dios demanda la adoración exclusiva del ser humano. No es necesario adorar al sol, la luna y las estrellas para quebrantar esta ley. La violamos cada vez que damos a algo o alguien el primer lugar en nuestro pensamiento o en nuestros afectos. Puede ser un deporte absorbente, una actividad que nos atrapa, una ambición egoísta. O puede ser alguna persona a quien idolatramos. Podemos adorar un dios de oro o plata que tiene la forma de acciones comerciales y una sólida cuenta bancaria, o un dios de madera o piedra que tiene la forma de una casa u otras posesiones materiales. Ninguna de estas cosas es mala en sí misma. Llegan a ser malas cuando les damos un lugar en nuestra vida que sólo le corresponde a Dios. El pecado es, fundamentalmente, la exaltación del yo a expensas de Dios. Lo que alguien dijo de los ingleses es verdad de todos los seres humanos: 'Son hombres que se han hecho a sí mismos y adoran a su creador'.

Para nosotros, guardar este primer mandamiento sería, como Jesús dijo, amar al Señor nuestro Dios con todo el corazón, con toda el alma y con toda la mente; hacer de su voluntad nuestra guía y de su gloria nuestra meta; colocarlo a él en el primer lugar en nuestros pensamientos, palabras y acciones: en los negocios y en el descanso; en las amistades y en la carrera; en el uso del dinero, del tiempo y de los talentos; en el trabajo y en el hogar. A excepción de Jesús de Nazaret, ningún hombre jamás ha cumplido este mandamiento.

2. No te harás imagen, ni ninguna semejanza

Si el primer mandamiento se refiere al objeto de nuestra adoración, el segundo se refiere a la manera en que debemos adorarlo. En el primer mandamiento Dios demanda nuestra adoración exclusiva; en el segundo, nuestra adoración sincera y espiritual. 'Dios es Espíritu, y los que lo adoran deben hacerlo de un modo verdadero, conforme al Espíritu de Dios' (Juan 4.24). Puede ser que ninguno de nosotros jamás llegue a forjar con las manos una tosca imagen de metal, pero ¿qué imagen horrible albergamos en nuestra mente? Además, aunque este mandamiento no prohíbe el uso de toda forma externa en la adoración, implica que las formas son inútiles a menos que exista también una realidad interna. Es posible que concurramos a los cultos de la iglesia; pero, ¿adoramos realmente a Dios? Es posible que pronunciemos oraciones; pero ¿oramos realmente? Es posible que abramos la Biblia; pero ¿dejamos que Dios nos hable por medio de ella y hacemos lo que él nos dice? De nada vale hablar a Dios con los labios si el corazón está lejos de él (Isaías 29.13, Marcos 7.6). Hacer eso no es adorar sino perder el tiempo en un formalismo vacío.

3. No tomarás el nombre del Señor tu Dios en vano

El nombre de Dios representa la naturaleza de Dios. En la Biblia hay mucho que nos urge a reverenciar su nombre y en el Padrenuestro se nos enseña a santificarlo. Su santo nombre puede ser profanado por nuestro lenguaje descuidado, y a nosotros nos convendría revisar el vocabulario de vez en cuando. Pero tomar el nombre de Dios en vano es algo más que un asunto de palabras: incluye también los pensamientos y las acciones. Toda vez que nuestra conducta es inconsecuente con nuestra creencia, o nuestra práctica contradice lo que predicamos, tomamos el nombre de Dios en vano. Llamar a Dios 'Señor' y no hacer lo que él manda, es tomar su nombre en vano. Llamar a Dios 'Padre' y estar llenos de ansiedad y dudas, es negar su nombre. Tomar el nombre de Dios en vano es hablar de un modo y actuar de otro. Y a esto se llama hipocresía.

4. Y acuérdate del día de reposo para santificarlo

El *shabat* judío y el domingo cristiano son una institución divina. Separar un día de cada siete es algo más que una disposición humana o una conveniencia social. Es el plan de Dios. Como

Jesús destacó (Marcos 2.27), Dios hizo el *shabat* para el hombre, y puesto que hizo también al hombre para quien hizo el *shabat*, lo adaptó a las necesidades humanas. El cuerpo y la mente del ser humano necesitan descanso, y el espíritu humano necesita tener la oportunidad de adorar. El *shabat* es, por consiguiente, un día de descanso y un día de oración.

No sólo debemos guardarlo nosotros mismos, para nuestro propio bien, sino que debemos hacer lo que esté a nuestro alcance, en beneficio de todos, para lograr que otros no tengan que trabajar innecesariamente en ese día.

El día del Señor, entonces, es un día 'santo', esto es, apartado para Dios. Es el día del Señor, no el nuestro. Por lo tanto debemos emplearlo para su causa, no para la nuestra; para su adoración y servicio, no para nuestro placer egoísta.

5. Honra a tu padre y a tu madre

Este quinto mandamiento pertenece todavía a la primera tabla de la ley, que se refiere a nuestro deber para con Dios. La razón es que nuestros padres, al menos mientras somos niños, ocupan para nosotros el lugar de Dios: representan la autoridad de Dios. Y sin embargo precisamente en su propio hogar muchas veces la gente, especialmente en la juventud, es de lo más egoísta y desconsiderada. Es demasiado fácil mostrarse desagradecido y descuidado y no demostrar el respeto y el afecto que los padres merecen. ¿Con cuánta frecuencia les escribimos o los visitamos? ¿Necesitan ayuda financiera que nosotros podríamos ofrecerles y tal vez no se la damos?

6. No matarás

Esta no es una mera prohibición del homicidio. Si la mirada pudiera matar, muchos matarían con la mirada. Si se pudiera asesinar con palabras hirientes, muchos serían homicidas. En efecto, Jesús dijo que el enojarse con alguien sin causa, o insultarlo, es algo igualmente serio (Mateo 5.21–26). Y Juan saca la misma conclusión cuando escribe: 'Todo el que odia a su hermano es un asesino' (1 Juan 3.15). Cada arranque de ira, cada explosión de pasión incontrolada, cada irritación de mal humor, cada amargo resentimiento y sed de venganza: todas estas cosas son formas de homicidio. Podemos matar con el arma de los chismes maliciosos. Podemos matar con el arma de la negligencia premeditada y con la crueldad. Podemos matar con el arma del rencor y de la envidia. Probablemente todos lo hemos hecho.

7. No cometerás adulterio

Nuevamente, este mandamiento tiene una aplicación mucho mayor que la de la infidelidad conyugal. Incluye toda relación sexual fuera del matrimonio para el cual esa relación fue diseñada. Incluye la coquetería, la aventura amorosa, la experiencia sexual solitaria. Incluye toda perversión sexual, puesto que, aunque los seres humanos no son responsables por un instinto pervertido, lo son por dar rienda suelta al mismo. Incluye las demandas egoístas en el lecho matrimonial y muchos de los divorcios, cuando no todos. Incluye la lectura deliberada de literatura pornográfica o la entrega a fantasías impuras. Jesús dejó bien sentado todo este asunto cuando dijo: 'Cualquiera que mira con deseo a una mujer, ya cometió adulterio con ella en su corazón' (Mateo 5.28).

Así como albergar en el corazón pensamientos criminales es cometer homicidio, así también albergar en el corazón pensamientos adúlteros es cometer adulterio. En efecto, este mandamiento incluye todo abuso que se comete contra un don de Dios, un don santo y hermoso: el sexo.

8. No hurtarás

Hurtar es robar a una persona cualquier cosa que le pertenezca o a la que tenga derecho. El robo de dinero o propiedad no es la única infracción de este mandamiento. La evasión del pago de impuestos es robo. También lo es la evasión del pago de los derechos aduaneros. Igualmente, el trabajar menos horas de las estipuladas o perder el tiempo durante las horas de trabajo. Lo que el mundo llama 'sacar la mejor tajada' Dios lo llama robar. Hacer trabajar demasiado al personal, o pagarle menos de lo que se debe, es violar este mandamiento. Deben ser muy pocos, si los hay, los que han sido consistente y minuciosamente honrados en sus asuntos personales y comerciales. Como escribió Arthur Hugh Clough:

> 'No matarás', pero no necesitas esforzarte
> demasiado para mantenerte vivo;
> 'no robarás': una hazaña inútil cuando es
> más lucrativo estafar.[1]

Todos estos mandamientos negativos tienen una contraparte positiva. Para abstenerse realmente de matar uno tiene que hacer todo lo que está a su alcance para fomentar la salud y preservar la vida de los demás. No basta abstenerse de cometer adulterio. El mandamiento exige la actitud correcta, sana y honorable entre los sexos. Asimismo, el no robar no es una acción muy virtuosa que digamos, si uno es mezquino o avaro. El apóstol Pablo no se satisfizo con que el ladrón dejara de robar. Tenía que empezar a trabajar. En efecto, tenía que seguir trabajando honradamente hasta llegar a una posición en que pudiera compartir con el necesitado (Efesios 4.28).

9. No dirás falso testimonio contra tu prójimo

Los cinco mandamientos finales expresan ese respeto por los derechos de los demás que está implícito en el verdadero amor. Quebrantar estos mandamientos es robar al prójimo las cosas que son más preciosas para él: su vida ('no matarás'), su hogar o su honor ('no cometerás adulterio'), su propiedad ('no hurtarás') y, por fin, su reputación ('no dirás falso testimonio contra tu prójimo').

Este mandamiento no se aplica solamente a los tribunales. Incluye el perjurio. Y también incluye todas las formas de escándalo y difamación, toda clase de habladurías y charlatanerías, toda mentira y exageración deliberada o distorsión de la verdad. Podemos testificar falsamente si escuchamos rumores despiadados e hirientes y lo hacemos correr, si hacemos chistes a expensas de otro, si difundimos falsas impresiones, si no corregimos afirmaciones equivocadas, ya sea con nuestro silencio o con nuestras palabras.

10. No codiciarás

El décimo mandamiento es en cierto modo el más revelador de todos. Eleva al Decálogo del plano de la ley civil al de la ética personal. Torna el código legal externo en una norma legal interna. La ley civil no puede hacer nada contra la codicia, sino sólo contra el robo. La codicia pertenece a la vida interior. Acecha y se esconde en el corazón y la mente del ser humano. Lo que la lujuria es para el adulterio y el mal humor en relación con el asesinato, la codicia lo es en relación con el robo.

Las cosas específicas que no debemos codiciar y que se mencionan en el mandamiento son eminentemente modernas. En estos días de tanta escasez de viviendas hay mucha codicia de la casa del prójimo, y los tribunales de divorcio no estarían tan llenos si los hombres no codiciaran la mujer ajena. Según Pablo ser avaro es 'una forma de idolatría' y, por lo contrario 'la religión es una fuente de gran riqueza, pero solo para el que se contenta con lo que tiene' (1 Timoteo 6.6).

La ley sólo sirve para hacernos saber que somos pecadores.

La consideración de estos mandamientos ha traído a luz un feo catálogo de pecados. ¡Tantas cosas tienen lugar debajo de la superficie de nuestra vida, en los rincones de nuestra mente, que otras personas no ven y que hasta logramos ocultar de nosotros mismos! Pero Dios ve todas estas cosas. Su mirada penetra hasta los rincones más profundos del corazón: 'Nada de lo que Dios ha creado puede esconderse de él; todo está claramente expuesto ante aquel a quien tenemos que rendir cuentas' (Hebreos 4.13). Él nos ve tal cual somos y su ley pone de manifiesto la seriedad de nuestros pecados. En efecto, el propósito de la ley es exponer el pecado, 'ya que la ley solamente sirve para hacernos saber que somos pecadores' (Romanos 3.20).

Cuando C. H. Spurgeon, el famoso predicador del siglo XIX, tenía apenas catorce años de edad, sintió una gran convicción de pecado. Como nunca antes, dos verdades dieron en el blanco de su experiencia: 'La majestad de Dios y mi pecaminosidad'. Sintió el peso aplastante de su indignidad.

> No vacilo en decir que quienes examinan mi vida no hubieran encontrado ningún pecado extraordinario. Sin embargo, cuando yo me miré *a mí mismo*, vi mi ultrajante pecado contra Dios. No era como otros muchachos mentirosos, deshonestos, mal hablados, etc. … Pero de pronto me encontré con Moisés que llevaba la ley … las Diez palabras de Dios … Y, al leerlas, me pareció que todas se ponían de acuerdo para condenarme en la presencia del tres veces santo Jehová.

También en nuestro caso, nada puede convencernos tanto de nuestra pecaminosidad como la elevada y justa ley de Dios.

Guía de estudio 5
La realidad y la naturaleza del pecado

Propósito Ayudar a los miembros del grupo a tomar conciencia de la universalidad del pecado y de su propia condición delante de Dios.

Preguntas

1. ¿Qué evidencias hay en la historia de que el pecado radica en el hombre mismo y no solamente en la sociedad? ¿Por qué a las personas que no creen en Dios el tema del pecado les resulta inaceptable?

2. ¿Qué palabras utiliza Stott para definir al pecado (páginas 98–99)? ¿Podríamos definirlo con nuestras propias palabras?

3. ¿Cuáles son las normas éticas de aquellos que no son cristianos? ¿Cuáles son las evidencias de estas? ¿Cuál es la 'norma ética' de Dios?

4. ¿Cuáles son los dioses que adoramos hoy en día? ¿Cuáles de estos dioses nos resultan más atractivos a nosotros?

5. ¿Qué es necesario que uno haga para violar el primer mandamiento? ¿el segundo? ¿el tercero?, etc.

6. ¿Por qué, según el autor, el décimo mandamiento es 'en cierto modo el más revelador de todos' (página 105)?

7. ¿Qué mandamiento se nos hace más difícil obedecer? ¿Por qué?

8. ¿Por qué consideramos que es necesario tener la convicción de pecado para la conversión? ¿Nos reconocemos como pecadores delante de Dios?

Concluir con oración silenciosa.

Para el próximo encuentro

1. Leer el capítulo 6 de *Cristianismo básico.*

2. Hacer anotaciones sobre las consecuencias de nuestro pecado en nuestra propia vida y en la de otros.

Para seguir leyendo

La voluntad de Dios para la vida diaria: Los diez mandamientos en el mundo actual, Mervin Breneman, Kairós, 1996.

El pecado: Sinopsis teológica y psicosocial, Cornelius Plantinga, Desafío, 1995.

Hacia la sanidad sexual, John White, Certeza Argentina, 2000.

La persona que soy, Les Thompson, FLET-Unilit, 1997.

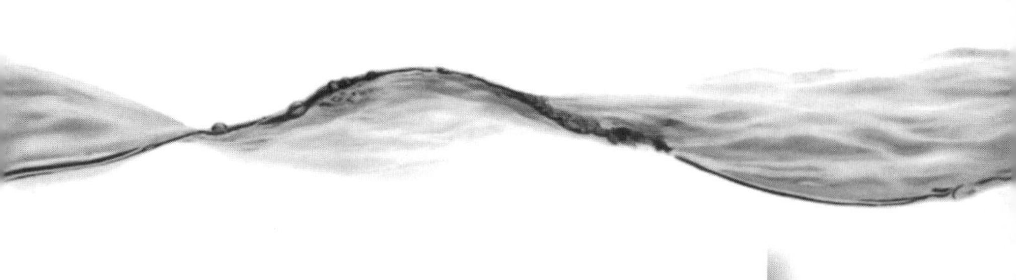

6 Las consecuencias del pecado

Hemos visto algo acerca de la naturaleza y la universalidad del pecado humano. Quisiéramos dejar este tema tan desagradable y pasar de inmediato al de las buenas nuevas de salvación en Cristo, pero no podemos hacerlo todavía. Tenemos que entender cuáles son las consecuencias del pecado si hemos de apreciar lo que Dios hizo por nosotros y lo que nos ofrece en la persona de Jesucristo.

¿Es el pecado realmente un hecho tan serio? Sus malas consecuencias pueden comprenderse mejor cuando se las observa en relación con Dios, con uno mismo y con nuestros semejantes.

Alienación de Dios

Aunque por el momento no nos demos cuenta del hecho, la consecuencia más terrible del pecado es que nos aparta de Dios. El destino más elevado del ser humano es conocer a Dios, estar en relación personal con él. La afirmación más importante de la nobleza que tenemos como seres humanos es la de que fuimos hechos a la imagen de Dios. Y que, por lo tanto, tenemos la capacidad de conocerlo. Pero este Dios, a quien debemos y podemos llegar a conocer, es un Ser Justo e infinito en su perfección moral. Las Escrituras ponen mucho énfasis en esta verdad:

> Porque así dijo el Alto y Sublime, el que habita la eternidad y cuyo nombre es el Santo: 'Yo habito en la altura y la santidad …' Isaías 57.15, RVR
>
> Rey de reyes y Señor de señores … que vive en una luz a la que nadie puede acercarse.
> 1 Timoteo 6.15–16

> Dios es luz … en él no hay ninguna oscuridad.
> Si decimos que estamos unidos a él, y al mismo
> tiempo vivimos en la oscuridad, mentimos y no
> practicamos la verdad. 1 Juan 1.5–6

> Porque nuestro Dios es como un fuego que todo
> lo consume. Hebreos 12.29 (Deuteronomio 4.24)

> ¿Quién de nosotros morará con el fuego consumidor?
> ¿Quién de nosotros habitará con las llamas eternas?
> Isaías 33.14, RVR

> Muy limpio eres de ojos para ver el mal,
> ni puedes ver el agravio. Habacuc 1.13, RVR

Todos los hombres de Dios que, según la Biblia, vislumbraron la gloria de Dios, se escabulleron de la visión con la conciencia abrumada por sus propios pecados. *Moisés*, a quien Dios se le apareció en la zarza que ardía pero no se consumía, 'se cubrió la cara, pues tuvo miedo de mirar a Dios' (Éxodo 3.6). *Job*, a quien Dios habló desde un torbellino con palabras que exaltaban su excelsa majestad, le contestó: 'Hasta ahora, solo de oídas te conocía, pero ahora te veo con mis propios ojos. Por eso me retracto arrepentido, sentado en el polvo y la ceniza' (Job 42.5–6). *Isaías*, un joven que recién iniciaba su carrera, tuvo una visión de Dios como el Rey de Israel, sentado sobre un lugar alto y excelso, rodeado de ángeles que le adoraban y cantaban de su santidad y gloria, y dijo: '¡Ay de mí, voy a morir! He visto con mis ojos al Rey, al Señor todopoderoso; yo, que soy un hombre de labios impuros y vivo en medio de un pueblo de labios impuros' (Isaías 6.5). Cuando *Ezequiel* tuvo esa visión extraña de los seres vivientes alados y de las ruedas que giraban, y encima de ellos un trono, y en el trono Alguien con apariencia de hombre, envuelto en la refulgencia del fuego y del arco iris, reconoció que 'Esta fue la visión de la semejanza de la gloria del Señor,' y agregó: 'Cuando la vi, me postré sobre mi rostro' (Ezequiel 1.28, RVR). *Saulo de Tarso*, mientras viajaba a Damasco, lleno de ira contra los cristianos, fue arrojado al suelo y enceguecido por una luz del cielo más brillante que la del sol del mediodía (Hechos 9.1–9), y escribió más tarde acerca de esta visión del Cristo resucitado: '...se me apareció también a mí' (1 Corintios 15.8). El anciano *Juan*, exiliado en la isla de Patmos, describe detalladamente su visión del Jesús resucitado y glorificado, cuyos ojos 'parecían llamas de fuego' y cuya cara era 'como el sol cuando brilla en todo su esplendor', y dice: 'Al verlo, caí a sus pies como muerto' (Apocalipsis 1.17).

Si se pudiera correr por un momento la cortina que cubre la invisible majestad de Dios, ninguno de nosotros podríamos soportar la visión.

Si se pudiera correr por un momento la cortina que cubre la invisible majestad de Dios, tampoco nosotros podríamos soportar la visión. En realidad, apenas podemos imaginar lo pura y brillante que debe ser la gloria del Dios todopoderoso. Sin embargo, sabemos lo suficiente como para darnos cuenta de que el hombre pecador, mientras permanezca en sus pecados, no puede jamás acercarse a este santo Dios. La boca de un gran abismo se abre entre el Dios justo y el hombre pecador. '¿Qué tienen en común la justicia y la injusticia? ¿O cómo puede la luz ser compañera de la oscuridad?', pregunta Pablo (2 Corintios 6.14).

La construcción del tabernáculo y del templo, según el Antiguo Testamento, ilustra cómo el pecado nos separa de Dios. Aquellos tenían, ambos, dos compartimentos. El primero y más grande era el Lugar Santo; el que seguía, más pequeño, era el Lugar Santísimo. En este santuario interior estaba la gloria, *Shekinah*, el símbolo visible de la presencia de Dios. Entre los dos compartimentos estaba el 'velo', una gruesa cortina que impedía la entrada al Lugar Santísimo. A nadie se le permitía pasar hasta la presencia misma de Dios, excepto al sumo sacerdote, y eso sólo una vez al año —en el día de la expiación—, siempre que llevara consigo la sangre de un sacrificio por los pecados.

Lo mismo que se les demostró visiblemente a los israelitas, lo enseñan los escritores del Antiguo y del Nuevo Testamento. El pecado acarrea separación inevitable, y esta separación es para el hombre 'muerte', muerte espiritual, separación de Dios, que es la fuente de la vida verdadera. 'El pago que da el pecado es la muerte' (Romanos 6.23).

Además, si uno en este mundo deliberadamente rechaza a Jesucristo, el único por medio de quien puede alcanzar la vida eterna, morirá eternamente en el futuro venidero. El infierno es una horrenda y terrible realidad. Nadie debe llamarse a engaño sobre este particular. El Señor Jesús mismo habló al respecto. A veces lo llamó 'la oscuridad de afuera' (Mateo 25.30), puesto que es una separación infinita de Dios, que es la luz. En la Biblia también se lo llama 'la muerte segunda', 'el lago de fuego' (Apocalipsis 20.14–15, Lucas 16.19–31), términos que describen simbólicamente la pérdida de la vida eterna y la sed espantosa del alma que supone el destierro irrevocable de la presencia de Dios.

Esta separación de Dios causada por el pecado no sólo se enseña en la Biblia: se confirma en la experiencia humana. Todavía recuerdo bien mi propia perplejidad cuando, aún muchacho, decía mis oraciones y trataba de penetrar a la presencia de Dios. No podía comprender por qué parecía que Dios se hallara envuelto en neblina y yo no podía acercarme a él. Me parecía que se encontraba lejos y apartado. Ahora entiendo la razón. Isaías me ha dado la respuesta:

> El poder del Señor no ha disminuido como para no poder salvar, ni él se ha vuelto tan sordo como para no poder oír. Pero las maldades cometidas por ustedes han levantado una barrera entre ustedes y Dios; sus pecados han hecho que él se cubra la cara y que no los quiera oír. Isaías 59.1–2

Nos sentimos tentados a decir a Dios, como en el libro de Lamentaciones: 'Te envolviste en una nube para no escuchar nuestros ruegos' (3.44). Sin embargo, Dios no es responsable por la nube. Nosotros sí. Nuestros pecados esconden de nosotros el rostro de Dios de manera tan efectiva como las nubes cubren el rostro del sol.

Muchas personas me han dicho que han tenido la misma experiencia desoladora. A veces, en ciertas emergencias, en peligros, en momentos de alegría o al contemplar la belleza, les parece que Dios está cerca; pero en la mayoría de las veces están conscientes de un alejamiento inexplicable de Dios y se sienten desamparadas. Esto no es un sentimiento solamente: es un hecho. Hasta que nuestros pecados sean perdonados, somos exiliados, estamos lejos de nuestro verdadero hogar. En términos bíblicos, estamos 'perdidos', 'muertos a causa de las maldades y pecados' que hemos cometido (Efesios 2.1).

En el corazón del ser humano existe un vacío que sólo Dios puede llenar.

Esto es lo que causa la inquietud que existe en la gente hoy en día. En el corazón del ser humano existe un hambre que sólo Dios puede satisfacer, un vacío que sólo Dios puede llenar. La existencia de noticias sensacionales en la prensa diaria y de extravagantes relatos de amor o crimen en el cine; las carreras y los clubes nocturnos; las apuestas y toda clase de juegos de azar; la actual epidemia de drogas, sexo y violencia: todas estas cosas son síntomas de la búsqueda humana de satisfacción. Reflejan la sed de Dios a la vez que la separación de él. San Agustín tuvo mucha razón cuando dijo, en las bien conocidas palabras que se encuentran al comienzo de sus Confesiones: 'Tú nos has hecho para ti, y nuestro corazón está inquieto hasta que encuentra descanso en ti.' Esta situación es indescriptiblemente trágica. El ser humano no alcanza el destino para el cual fue hecho por Dios.

Esclavitud al yo

El pecado no sólo aparta: esclaviza. No sólo nos separa de Dios: nos lleva cautivos.

Ahora necesitamos examinar la naturaleza interna del pecado. Este no es solamente un acto o hábito desafortunado y externo: es una corrupción alojada en las profundidades de nuestro ser. En efecto, los pecados que cometemos son meramente manifestaciones externas y visibles de esta enfermedad interior e invisible, síntomas de una enfermedad moral. Pero la metáfora que Jesús usó fue del árbol y su fruto. La clase de fruto que el árbol produce (higos o uvas, por ejemplo) y su condición (buena o mala) dependen de la naturaleza y la santidad del árbol. Asimismo, según Jesús, 'De lo que abunda en el corazón, habla la boca' (Mateo 12.34).

En este sentido, Jesucristo está en desacuerdo con muchos reformadores sociales y revolucionarios de hoy. Es cierto que, para bien o para mal, todos estamos condicionados por nuestra educación y nuestro ambiente, y por el sistema político y económico en que vivimos. También es cierto que debemos luchar por la justicia, la libertad y el bienestar de todos los hombres. Sin embargo, Jesús no atribuye los males de la sociedad a la falta de mejores condiciones de vida sino a la naturaleza misma, a lo que él denomina 'el corazón'. Estas son sus palabras exactas:

> Porque de adentro, es decir, del corazón de
> los hombres, salen los malos pensamientos, la
> inmoralidad sexual, los robos, los asesinatos, los
> adulterios, la codicia, las maldades, el engaño, los
> vicios, la envidia, los chismes, el orgullo, y la falta
> de juicio. Todas estas cosas malas salen de adentro
> y hacen impuro al hombre. Marcos 7.21–23

El Antiguo Testamento ya había enseñado esta verdad. Jeremías había dicho: 'Nada hay tan engañoso y perverso como el corazón humano. ¿Quién es capaz de comprenderlo?' (Jeremías 17.9). En efecto, la Biblia está llena de referencias a esta infección de la naturaleza humana o 'pecado original'. Es una tendencia o predisposición hacia el egocentrismo, tendencia que heredamos, que está arraigada en lo profundo de la personalidad, y que se manifiesta de mil maneras perversas. El apóstol Pablo la denominó 'la carne' e hizo un inventario impresionante de sus 'obras' o productos.

> Es fácil ver lo que hacen quienes siguen los malos deseos: cometen inmoralidades sexuales, hacen cosas impuras y viciosas, adoran ídolos y practican la brujería. Mantienen odios, discordias y celos. Se enojan fácilmente, causan rivalidades, divisiones y partidismos. Son envidiosos, borrachos, glotones y otras cosas parecidas. Gálatas 5.19–21

Porque el pecado es una corrupción interna de la naturaleza humana, vivimos en la esclavitud. Lo que nos esclaviza no son ciertos hábitos o acciones como tales, sino más bien la infección de la cual ellos emanan. El Nuevo Testamento nos describe como 'esclavos'. La designación nos desagrada, pero es exacta. Provocó la indignación de ciertos fariseos cuando Jesús les dijo: 'Si ustedes se mantienen fieles a mi palabra, serán de veras mis discípulos; conocerán la verdad, y la verdad los hará libres.'

Ellos le contestaron: 'Nosotros somos descendientes de Abraham, y nunca hemos sido esclavos de nadie; ¿cómo dices tú que seremos libres?'.

Jesús les dijo: 'Les aseguro que todos los que pecan son esclavos del pecado' (Juan 8.31–34).

Varias veces en sus cartas Pablo describe la humillante servidumbre a que nos conduce el pecado.

> Antes eran esclavos del pecado.
>
> Romanos 6.17

> De esa manera vivíamos todos nosotros en otro tiempo, siguiendo nuestros malos deseos y cumpliendo los caprichos de nuestra naturaleza pecadora y de nuestros pensamientos.
>
> Efesios 2.3

> Porque antes también nosotros éramos insensatos
> y rebeldes; andábamos perdidos y éramos esclavos.
>
> Tito 3.3

El ejemplo de nuestra falta de dominio propio que ofrece Santiago es la dificultad que tenemos en controlar nuestra propia lengua. En un capítulo bien conocido y lleno de metáforas, dice que si algún hombre 'no comete ningún error en lo que dice, es un hombre perfecto' (Santiago 3.2). Señala que la lengua 'es una parte muy pequeña del cuerpo, pero es capaz de grandes cosas' (3.5). Su influencia se extiende como el fuego; es 'un mundo de maldad … que contamina a toda la persona' (3.6). Podemos dominar toda clase de fieras y aves, añade Santiago, 'pero nadie ha podido dominar la lengua' (3.8).

Todos sabemos esto demasiado bien. Tenemos grandes ideales pero voluntades débiles. Deseamos vivir una vida buena, pero estamos encadenados en la prisión de nuestro egocentrismo. No importa cuánto nos jactemos de ser libres, en realidad somos esclavos. Necesitamos venir con lágrimas a Dios y decirle:

> No está terminado, Señor, no he terminado nada,
> No hay batalla de mi vida que realmente haya ganado,
> Y ahora vengo a decirte cómo luché para caer,
> Mi relato humano, demasiado humano,
> De debilidad y futilidad.[1]

De nada vale que se nos den normas de conducta: no podemos cumplirlas. Que Dios siga diciendo 'no hagas tal cosa': continuaremos haciéndola hasta el fin del tiempo. Un sermón no solucionará nuestro problema: necesitamos un Salvador. La educación de la mente no es suficiente sin un cambio de corazón. El hombre ha hallado el secreto del poder, del poder de la reacción nuclear. Ahora necesita poder espiritual, poder que lo libre de sí mismo, poder que lo conquiste y lo controle, poder que le dé un carácter moral comparable a sus logros científicos.

Conflicto con los demás

Todavía no hemos terminado con la nómina de las consecuencias terribles del pecado. Aun hay que considerar otra: el efecto del pecado en nuestras relaciones con los demás.

Hemos visto que el pecado es una infección alojada en lo profundo de nuestra propia naturaleza. Está en la raíz misma de nuestra personalidad. Controla nuestro ego. En realidad, el pecado es el yo. Y todos los pecados que cometemos son afirmaciones del yo contra Dios o contra el hombre. Hemos visto que los Diez Mandamientos, aunque son una serie de prohibiciones negativas, sintetizan nuestro deber para con Dios y para con los demás. Esto se ve con más claridad aun en el resumen de la ley en que Jesús unió un versículo de Levítico (19.18) y un versículo de Deuteronomio (6.5).

> 'Ama al Señor tu Dios con todo tu corazón, con toda tu alma y con toda tu mente.' Este es el más importante y el primero de los mandamientos. Pero hay un segundo, parecido a este; dice: 'Ama a tu prójimo como a ti mismo'. En estos dos mandamientos se basan toda la ley y los profetas.
>
> Mateo 22.37–40

Es importante observar que el primer mandamiento tiene que ver con nuestro deber para con Dios y no con nuestro deber para con el prójimo. Primero hemos de amar a Dios, y luego hemos de amar a nuestros semejantes como a nosotros mismos. Así que el orden de Dios es: Dios, los demás y yo. El pecado es la inversión de ese orden. Primero nos colocamos nosotros, después a nuestros semejantes y luego a Dios en algún rincón. La persona que escribió su autobiografía y la tituló *Mi querido yo* no hizo más que dar expresión a lo que todos pensamos de nosotros mismos. Cuando se sirven los helados en una fiesta de niños se arma la gritería: '¡A mí primero!' A medida que crecemos, aprendemos que eso no debe decirse; pero seguimos pensándolo. La definición que el arzobispo William Temple da del pecado original describe perfectamente esta verdad:

> Yo soy el centro del mundo que veo: la ubicación del horizonte depende de mi propia ubicación … la educación puede ampliar el horizonte de mis intereses y hacer así que mi egocentrismo sea menos desastroso; pero hasta el momento es como ascender una torre, lo cual amplía el horizonte de mi visión física pero me deja como el centro y la norma de referencia.[2]

Este egocentrismo básico afecta toda nuestra conducta. No nos es fácil adaptarnos a los demás. Tendemos a despreciarlos o envidiarlos; somos víctimas de sentimientos de superioridad o de inferioridad. Rara vez demostramos que al pensar en nosotros mismos lo hacemos 'con moderación', según el consejo de Pablo a sus lectores (Romanos 12.3). A veces estamos llenos de autocompasión, otras veces de autoestima, autoconfianza o amor propio.

Todas las relaciones de la vida son complicadas. Entre padres e hijos, entre esposo y esposa, entre empleador y empleado. La delincuencia juvenil tiene sin duda muchas causas, y mucho se debe a la falta de seguridad en el hogar; pero el hecho es que los delincuentes (cualquiera sea la causa) caen en una autoafirmación que va contra la sociedad. Si las personas fueran lo suficientemente humildes como para admitir sus culpas más que las de los demás, se podrían evitar centenares de divorcios. Siempre que una pareja viene a verme porque su matrimonio está en peligro, me doy cuenta que cada uno de los cónyuges cuenta su propia historia, tan distinta de la del otro que uno no podría adivinar, si no lo supiera, que la situación descrita por los dos es la misma.

La mayoría de las desavenencias se deben a malos entendidos, y los malos entendidos se deben a nuestra falta de comprensión del punto de vista de la otra parte. Para nosotros es más natural hablar que escuchar, argumentar que acatar. Esto ocurre en las disputas industriales lo mismo que en las rencillas domésticas. Muchos conflictos laborales podrían resolverse si ambas partes primero se examinaran a sí mismas críticamente y luego examinaran a la parte contraria caritativamente, en vez de mostrarse siempre caritativos consigo mismos y críticos con los demás. Podría decirse lo mismo con respecto al complejo problema de la paz internacional. Las tensiones actuales se deben en gran parte al miedo y a la insensatez. Nuestro punto de vista es unilateral. Exageramos nuestras virtudes y los vicios de los demás.

El pecado humano es la causa de todos nuestros problemas.

Resulta fácil escribir esta condena de las relaciones sociales hoy. La única razón que nos mueve a hacerlo es poner en relieve que el pecado o egocentrismo humano es la causa de todos nuestros problemas. Nos mete en conflicto uno contra otro. Bastaría que el espíritu de sacrificio desplazara al espíritu egocéntrico para que cesaran nuestros conflictos. Y al espíritu de sacrificio la Biblia lo denomina 'amor'. El pecado es posesivo, el amor es expansivo. La característica del pecado es el deseo de obtener; la del amor es el deseo de dar.

> El amor siempre da, perdona, sobrevive,
> Y siempre está con la mano abierta,
> Y mientras vive, da.
> Porque esta es la prerrogativa del amor:
> Dar y dar.[3]

Lo que el hombre necesita es un cambio radical de su naturaleza, lo que el profesor H. M. Gwatkin solía llamar 'un cambio del yo al no-yo'. El hombre no puede realizarlo por sí mismo. No puede operarse a sí mismo. De nuevo: necesita un Salvador.

La presente exposición de nuestro pecado tiene una sola finalidad: convencernos de la necesidad que tenemos de Jesucristo y prepararnos para comprender y aceptar lo que él ofrece. La fe nace de la necesidad. Jamás pondremos nuestra confianza en Cristo si antes no nos desilusionamos de nosotros mismos. Él mismo lo dijo: 'Los que están sanos no necesitan médico, sino los enfermos. Yo no he venido a llamar a los justos, sino a los pecadores' (Marcos 2.17). Solamente cuando hayamos admitido la gravedad de la enfermedad que nos aqueja, admitiremos nuestra urgente necesidad de curación.

Guía de estudio 6
Las consecuencias del pecado

Propósito Ayudar a cada miembro del grupo a reconocer las consecuencias que el pecado tuvo en su relación con Dios, consigo mismo y con los demás.

Preguntas

1. ¿Cuál es la consecuencia más grave que produce el pecado? (página 111). ¿Qué reacción tuvieron algunos hombres de la historia ante la visión de la gloria de Dios? (páginas 112–115).

2. ¿Cuál es la evidencia más notable de que el ser humano está separado de Dios?

3. ¿Puede el ser humano por sí mismo desprenderse de su naturaleza pecadora?

4. ¿Por qué no basta con cambiar a la sociedad para solucionar el problema del hombre? ¿Qué dijo Jesucristo al respecto?

5. ¿Qué necesita una persona 'moralmente buena' para ser salva?

6. Según el autor, ¿cómo afecta el pecado nuestras relaciones con los demás (páginas 119–122)?

7. ¿Estamos convencidos de que todas las personas son pecadoras? ¿Por qué?

8. ¿Estamos convencidos de las consecuencias terribles que ocasiona el pecado? ¿Podemos verlas en nuestra propia vida? (Si hay confianza suficiente en el grupo, compartir algunas de ellas).

Para el próximo encuentro

1. Leer el capítulo 7 de *Cristianismo básico.*

2. Buscar todas las referencias a 'la cruz' en algún libro del Nuevo Testamento. Varios miembros del grupo pueden repartirse el trabajo tomando distintos libros. Deben prepararse para presentar un resumen de su investigación en la próxima sesión.

3. Reflexionar sobre la relación entre la muerte de Jesús y nuestra vida hoy.

Para seguir leyendo

La Cruz de Cristo, John Stott, Certeza Unida, 1996.

El camino del calvario, Roy Hession, CLC–Unilit, 1995.

Más que un carpinero, Josh McDowell, Unilit, 1997.

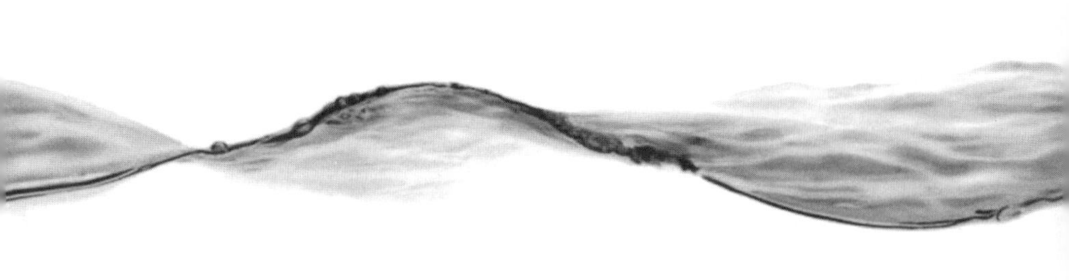

Parte III
La obra de Cristo

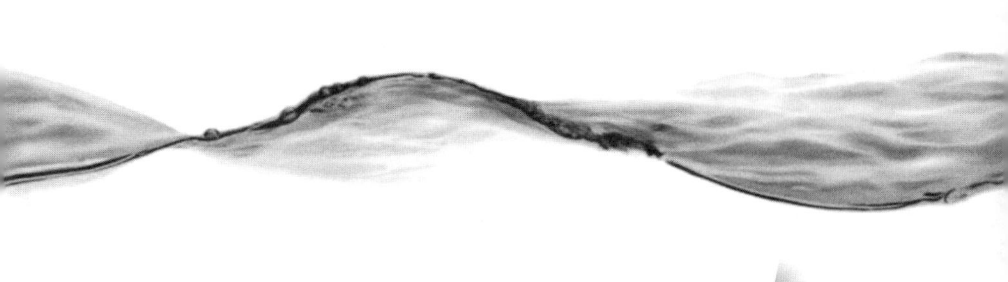

7

La muerte de Cristo

El cristianismo es una religión de liberación. Declara que Dios ha tomado la iniciativa en Jesucristo para liberarnos de nuestros pecados. Este es el tema central de la Biblia.

> Le pondrás por nombre Jesús. Se llamará así porque salvará a su pueblo de sus pecados.
>
> Mateo 1.21

> Pues el Hijo del hombre ha venido a buscar y salvar lo que se había perdido. Lucas 19.10

> Esto es muy cierto, y todos deben creerlo: que Cristo Jesús vino al mundo para salvar a los pecadores, de los cuales yo soy el primero.
>
> 1 Timoteo 1.15

> Y nosotros mismos hemos visto y declaramos que el Padre envió a su Hijo para salvar al mundo. 1 Juan 4.14

Más específicamente, ya que el pecado tiene tres consecuencias principales, como hemos visto, la 'salvación' incluye la liberación del ser humano de todas ellas. Por medio de Jesucristo, el Salvador, podemos ser traídos desde el exilio y reconciliados con Dios; podemos nacer de nuevo, recibir una nueva naturaleza y ser liberados de nuestra esclavitud moral; y podemos lograr que los viejos desacuerdos sean reemplazados por una hermandad de amor. Cristo hizo posible el primer aspecto de la salvación mediante el sufrimiento de su muerte, el segundo mediante el don del Espíritu Santo, y el tercero mediante la edificación de su iglesia. El primer aspecto ocupará nuestra atención en este capítulo; el segundo y el tercero, en el siguiente.

Todo lo que se logró por medio de la muerte de Jesús en la cruz, tuvo su origen en la mente y el corazón del Dios eterno.

El apóstol Pablo describe su propia obra como el 'ministerio de la reconciliación' y su evangelio como 'la palabra de reconciliación' (2 Corintios 5.18–19, RVR). Además, en el mismo pasaje aclara el origen de esa reconciliación. Dios —dice— es el autor y Cristo, el agente. 'Todo esto proviene de Dios, quien nos reconcilió consigo mismo por medio de Cristo' (5.18). Y otra vez: 'Dios estaba en Cristo reconciliando consigo al mundo' (5.19). Todo lo que se logró por medio de la muerte de Jesús en la cruz tuvo su origen en la mente y el corazón del Dios eterno. Cualquier explicación de la muerte de Cristo y de la salvación del hombre que no haga justicia a este hecho, no es leal a la enseñanza de la Biblia. 'Dios amó tanto al mundo, que dio a su Hijo único, para que todo aquel que cree en él no muera, sino que tenga vida eterna' (Juan 3.16). Lo que Dios imaginó, Cristo lo realizó por medio de su muerte, 'Pues en Cristo quiso residir todo el poder divino, y por medio de él Dios reconcilió a todo el universo ordenándolo hacia él, tanto lo que está en la tierra como lo que está en el cielo, haciendo la paz mediante la sangre que Cristo derramó en la cruz' (Colosenses 1.19–20).

En Romanos 5.11 Pablo dice que la reconciliación es algo que 'hemos recibido' por medio de nuestro Señor y Salvador Jesucristo. No la hemos logrado por nuestro propio esfuerzo: la hemos recibido de él como una dádiva. El pecado produce separación; la cruz —la crucifixión de Cristo— produce la reconciliación. El pecado causa enemistad; la cruz trae paz. El pecado abre el abismo entre el hombre y Dios; la cruz es un puente sobre ese abismo. El pecado rompe la comunicación; la cruz la restaura. O, para expresar la misma verdad en otras palabras, podemos afirmar con el apóstol Pablo en su carta a los romanos que 'El pago que da el pecado es la muerte, pero el don de Dios es vida eterna en unión con Cristo Jesús, nuestro Señor' (Romanos 6.23).

Pero, ¿por qué fue la cruz necesaria para nuestra salvación? ¿Es realmente algo vital para la fe cristiana? ¿Para qué sirvió exactamente? La centralidad y el significado de la cruz son los temas que debemos considerar a continuación.

La centralidad de la cruz

A fin de entender que la muerte de Jesús como un sacrificio por el pecado está en el médula misma del mensaje bíblico, en primer lugar debemos examinar el Antiguo Testamento. Desde el principio la religión del Antiguo Testamento incluyó sacrificios. Desde que Abel ofreció ovejas de su rebaño y Dios 'miró con agrado a Abel y su ofrenda' (Génesis 4.4), los adoradores de Jehová ofrecían a éste sus sacrificios. Mucho antes de las leyes levíticas de Moisés, se levantaban altares, se sacrificaban animales y se derramaba sangre. Pero después de la ratificación del pacto entre Dios y su pueblo en el Monte Sinaí, en los días de Moisés, lo que había sido fortuito quedó regularizado por ordenanzas divinas.

Los grandes profetas de los siglos VIII y VII antes de nuestra era protestaron contra el formalismo y la inmoralidad de los adoradores, pero el sistema de sacrificios continuó sin interrupción hasta la destrucción del templo de Jerusalén en el año 70 de nuestra era. Todo judío estaba familiarizado con el ritual pertinente a las ofrendas quemadas u holocaustos, a las ofrendas expiatorias, y a sus respectivas ofrendas de libaciones, lo mismo que con las ocasiones especiales (y diarias, semanales, mensuales o anuales) cuando tenían que ser presentadas. Ningún judío podía dejar de aprender las lecciones fundamentales de todo este proceso educativo: 'pues es la sangre la que paga el rescate por la vida' (Levítico 17.11) y 'no hay perdón de pecados si no hay derramamiento de sangre' (Hebreos 9.22).

Los sacrificios del Antiguo Testamento prefiguraron el sacrificio de Cristo en un símbolo visible; los profetas y salmistas lo predijeron en palabras. Podemos ver a Cristo en la perseguida pero inocente víctima descripta en ciertos salmos que posteriormente se aplicarían a Jesús. Podemos descubrirlo en el pastor de Zacarías que es herido y cuyas ovejas son desparramadas (Zacarías 13.7, Marcos 14.27), y en el príncipe o 'ungido' que es 'cortado', según la profecía de Daniel (Daniel 9.25–26). Podemos verlo sobre todo en la noble figura que aparece en los Cánticos del Siervo hacia el final de la profecía de Isaías (capítulo 53). El Siervo sufriente de Jehová, el despreciado 'hombre de dolores' que es herido por las transgresiones de los demás y, conducido como cordero al matadero, lleva sobre sí el pecado de muchos. En verdad, estaba escrito que el Cristo tenía que morir (Lucas 9.22; 24.26).

La médula misma del mensaje bíblico es la muerte de Jesús como un sacrificio por el pecado.

Cuando Jesús vino, supo muy bien cuál era su destino. Reconoció que las Escrituras del Antiguo Testamento daban testimonio de él y que las grandes expectativas predichas por ellas tendrían su cumplimiento en él. Esto es claro especialmente con referencia a sus sufrimientos inminentes. El cambio de rumbo en su ministerio se efectuó en Cesarea de Filipo cuando, a raíz de la confesión de Simón Pedro de que Jesús era el Mesías prometido, éste 'comenzó a enseñarles que el Hijo del hombre tendría que sufrir mucho' (Marcos 8.31).

Este 'tendría' apunta al sentimiento de apremio que las Escrituras imprimen en él como revelación de la voluntad del Padre y se repite continuamente en su enseñanza. Sabía que tendría que ser probado por un 'bautismo' y se sintió comprometido hasta que lo cumplió (Lucas 12.50). Siguió avanzando firme y fijamente hacia lo que él llamó su 'hora' y aunque en el relato de los Evangelios se dice varias veces que ésta no había llegado todavía, refiriéndose a ella poco antes de su arresto y con los ojos puestos en la cruz, pudo decir: 'Padre, la hora ha llegado' (Juan 17.1).

La perspectiva de la prueba con la que tenía que enfrentarse lo llenó de terribles presagios. '¡Siento en este momento una angustia terrible! ¿Y qué voy a decir? ¿Diré: 'Padre, líbrame de esta angustia'? ¡Pero precisamente para esto he venido! Padre, glorifica tu nombre' (Juan 12.27–28). Cuando por fin llegó la hora de su arresto y Simón sacó la espada para protegerlo cortando la oreja del asistente del Sumo Sacerdote, Jesús lo recriminó diciéndole: 'Vuelve a poner la espada en su lugar. Si el Padre me da a beber este trago amargo, ¿acaso no habré de beberlo?' (Juan 18.11). Según Mateo, Jesús agregó: '¿No sabes que yo podría rogarle a mi Padre, y él me mandaría ahora mismo más de doce ejércitos de ángeles? Pero en ese caso, ¿cómo se cumplirían las Escrituras, que dicen que debe suceder así?' (Mateo 26.53–54).

Los autores del Nuevo Testamento reconocen plenamente la suprema importancia de la cruz, en conformidad con las predicciones del Antiguo Testamento y la enseñanza de Jesús. Los autores de los cuatro Evangelios dedican a la última semana y a la muerte de Cristo un espacio que no guarda proporción con el que dedican al resto de su vida y ministerio. Dos quintos del Evangelio de Mateo, tres quintos del de Marcos, un tercio del de Lucas y casi la mitad del de Juan están dedicados a narrar los hechos que sucedieron entre la entrada triunfal de Jesús en Jerusalén y su ascensión en el cielo. Esto es especialmente notable en el Evangelio de Juan, cuyo escrito ha sido dividido a veces en dos mitades iguales denominadas 'el libro de las señales' y 'el libro de la pasión'.

Lo que se da a entender en los Evangelios lo dicen explícitamente las Epístolas, especialmente las del apóstol Pablo. Este nunca se cansa de recordar la cruz a sus lectores. Tiene un sentimiento de gratitud muy vívido hacia el Salvador que murió por él. 'El Hijo de Dios —escribe— ... me amó y se entregó a la muerte por mí' (Gálatas 2.20). Y añade: 'En cuanto a mí, de nada quiero gloriarme sino de la cruz de nuestro Señor Jesucristo' (Gálatas 6.14).

A los corintios, en peligro de verse envueltos en la sutileza de la filosofía griega, el apóstol escribe: 'Los judíos quieren ver señales milagrosas, y los griegos buscan sabiduría; pero nosotros anunciamos a un Mesías crucificado. Esto les resulta ofensivo a los judíos, y a los no judíos les parece una tontería; pero para los que Dios ha llamado, sean judíos o griegos, este Mesías es el poder y la sabiduría de Dios' (1 Corintios 1.22–24). Esto es en efecto lo que Pablo predicó al llegar por primera vez a Corinto procedente de Atenas, en su segundo viaje misionero. 'Y, estando entre ustedes, no quise saber de otra cosa sino de Jesucristo y, más estrictamente, de Jesucristo crucificado' (2.2). Y otra vez: 'En primer lugar les he enseñado la misma tradición que yo recibí, a saber, que Cristo murió por nuestros pecados, según las Escrituras' (15.3).

Los cristianos creemos que la cruz es el suceso central de la historia.

En el resto del Nuevo Testamento se encuentra el mismo énfasis en la cruz. Más adelante veremos lo que el apóstol Pedro escribió al respecto. En la Carta a los Hebreos se afirma inequívocamente que 'el hecho es que ahora, en el final de los tiempos, Cristo ha aparecido una sola vez y para siempre, ofreciéndose a sí mismo en sacrificio para quitar el pecado' (Hebreos 9.26). Cuando llegamos al misterioso y maravilloso Apocalipsis, captamos un destello del Jesús glorificado en el cielo, no sólo como 'el león de la tribu de Judá' (5.5), sino como un Cordero 'de pie, pero se veía que había sido sacrificado' (5.6), y oímos las innumerables multitudes de santos y ángeles que le alaban y dicen: '¡El Cordero que fue sacrificado es digno de recibir el poder y la riqueza, la sabiduría y la fuerza, el honor, la gloria y la alabanza!' (5.12). En conclusión, desde los primeros capítulos del Génesis hasta los últimos del Apocalipsis es posible rastrear lo que algunos escritores han llamado un hilo escarlata. Es, en efecto, como el hilo de Teseo que nos permite encontrar el camino en el laberinto de las Escrituras. Y la iglesia reconoce lo que la Biblia enseña sobre la centralidad de la cruz. Muchas iglesias hacen la señal de la cruz en el momento del bautizo y erigen una cruz sobre nuestra sepultura cuando morimos. Muchos templos cristianos han sido construidos en forma de cruz y muchos cristianos usan una cruz en la solapa, en la cadena del reloj, en el collar o en la gargantilla. Nada de esto es accidental. La cruz es el símbolo de nuestra fe. La señal que se dice que el emperador Constantino el Grande vio en el cielo, nosotros podemos verla en la Biblia: *in hoc signo vinces* ('con este signo vencerás'). Sin la cruz no hay cristianismo. ¿Por qué? ¿Qué significa la cruz?

El significado de la cruz

No puedo comenzar a explicar el significado de la muerte de Cristo sin antes confesar que para muchos sigue siendo un misterio. Los cristianos creemos que la cruz es el acontecimiento central de la historia. No es de extrañar, entonces, que nuestra mente no pueda abarcar todo su significado. Algún día el velo será descorrido y todos los enigmas quedarán resueltos. Veremos a Cristo tal cual es, y le adoraremos por toda la eternidad por lo que él hizo por nosotros. 'Ahora vemos de manera indirecta, como en un espejo, y borrosamente; pero un día veremos cara a cara. Mi conocimiento es ahora imperfecto, pero un día conoceré a Dios como él me ha conocido siempre a mí' (1 Corintios 13.12). Así se expresó el gran apóstol Pablo, pese a su gran intelecto y sus muchas revelaciones. Si él lo dijo, ¡con cuánta más razón debemos decirlo nosotros!

Me limitaré a lo que Simón Pedro escribió acerca de la muerte de Jesús en su primera carta. Uso sus escritos a propósito. Sugiero tres razones para ello:

La primera razón es que Pedro era miembro de ese círculo de apóstoles que se relacionaron más íntimamente con Jesús. Pedro, Santiago y Juan formaban un trío que disfrutaba de un compañerismo más estrecho con él, más que el resto de los Doce. Así, pues, Pedro estaba en excelentes condiciones para captar lo que Cristo pensó y enseñó acerca de su muerte. En efecto, en su primera carta encontramos varios claros recuerdos de la enseñanza de su Maestro.

En segundo lugar, recurro a Pedro con confianza porque al principio se resistió a aceptar la necesidad de los sufrimientos de Cristo. Había sido el primero en reconocer la singularidad de la persona de Cristo, pero también fue el primero en negar la necesidad de su muerte. Habiendo declarado: 'Tú eres el Mesías', enseguida exclamó con vehemencia: '¡Dios no lo quiera, Señor!', cuando Jesús comenzó a enseñar que el Cristo debía sufrir (Mateo 16.16,22). Durante el resto del ministerio de Jesús, Pedro mantuvo su empecinada hostilidad a la idea de ver un Cristo que tendría que morir. Trató de defenderlo en el jardín, y cuando el arresto ya era un hecho consumado, lo siguió de lejos. En medio de la desilusión que lo embargaba, lo negó tres veces en el patio del pontífice, y las lágrimas que derramó fueron no sólo de remordimiento sino de desesperación. Sólo después de la resurrección, cuando Jesús enseñó a los apóstoles que según las Escrituras el Cristo tenía que sufrir estas cosas antes de ser glorificado, Simón Pedro comenzó por fin a entender y a creer. Con el correr de las semanas se aferró tan firmemente de esa verdad, que pudo predicar a las multitudes redimidas en el atrio del templo de Jerusalén y decirles que 'Dios cumplió de este modo lo que antes había anunciado por medio de todos sus profetas: que su Mesías tenía que morir' (Hechos 3.18).

Su primera carta contiene varias referencias a los sufrimientos y gloria de Cristo (1 Pedro 4.13). Es posible que nosotros también vacilemos en admitir la necesidad de la cruz y seamos lerdos para profundizar en su significado, pero si alguien puede persuadirnos y enseñarnos, es Simón Pedro.

En tercer lugar, las referencias a la cruz en la primera carta de Pedro son colaterales. Si el apóstol se hubiera propuesto argumentar deliberadamente para mostrar que la muerte de Jesús fue indispensable, podríamos sospechar que fuera tendencioso. Pero sus alusiones son más bien éticas que doctrinales. Simplemente exhorta a sus lectores a vivir una vida cristiana consecuente y a soportar los sufrimientos con paciencia, y menciona la cruz para su inspiración y ejemplo.

Cristo murió como nuestro ejemplo

El telón de fondo de esta carta es la persecución. La hostilidad del emperador Nerón hacia la iglesia cristiana era reconocida y el corazón de muchos cristianos desfallecía de temor. Ya habían ocurrido esporádicos y violentos ataques. Parecía que lo peor estaba todavía por venir.

El consejo de Pedro es directo (1 Pedro 2.18–25). Si los esclavos cristianos son maltratados, deben asegurarse de que lo que reciben no sea el castigo que merecen. No es ningún crédito recibir azotes por haber hecho mal. Más bien deben sufrir por causa de la justicia y recibir el reproche en nombre de Cristo. No deben ofrecer resistencia, y menos aun desquitarse. Deben someterse. El sobrellevar sufrimientos injustos pacientemente cuenta con la aprobación de Dios. Y de inmediato la mente de Pedro vuela a la cruz. El sufrimiento inmerecido parte de la vocación cristiana —afirma— 'ya que Cristo sufrió por ustedes, dándoles un ejemplo para que sigan sus pasos' (2.21). Él no cometió pecado y no hubo engaño en su boca. Sin embargo, cuando lo insultaban, no respondía con injurias; cuando padecía, no amenazaba. Simplemente se encomendó (o, como parece sugerir una mejor lectura del texto, encomendó a sus atormentadores) al justo Juez de toda la humanidad.

Cristo nos dejó un ejemplo. El término griego que Pedro usa y que aparece únicamente aquí en el Nuevo Testamento, muestra el cuaderno del maestro, el alfabeto perfecto que sirve como modelo para el alumno que está aprendiendo a escribir. Así, si deseamos dominar el ABC del amor cristiano, debemos perfilar nuestra vida según el modelo de Jesús. Tenemos que 'seguir sus pisadas'. Este verbo es tanto o más elocuente por cuanto procede de la pluma de Pedro. Este se había jactado de que seguiría a Jesús a la prisión y a la muerte, pero al llegar el momento de hacerlo, 'lo siguió de lejos' (Marcos 14.54). Recién a orillas del mar de Galilea Jesús renovó a Pedro su llamado y comisión para lo cual empleó sus tan familiares palabras: 'Tú sígueme' (Juan 21.22). En su primera carta Pedro urge a sus lectores a unirse a él ahora que él está esforzándose por seguir más ardientemente los pasos de su Maestro.

El desafío de la cruz es tan incómodo en este siglo como lo fue en el siglo I, y tiene tanta vigencia hoy como la tuvo entonces.

El desafío de la cruz es tan incómodo en este siglo como lo fue en el siglo I y tiene tanta vigencia hoy como la tuvo entonces. Tal vez nada sea tan opuesto a nuestro instinto natural como este mandamiento de no resistir sino soportar el sufrimiento injusto y vencer el mal con el bien. Pero la cruz nos llama a aceptar la injuria, a amar a nuestros enemigos, y a dejar el problema con Dios.

Sin embargo, la muerte de Jesús es más que un mero ejemplo inspirador. Si fuera esto solamente, una buena parte de los relatos de los Evangelios serían inexplicables. Por ejemplo, ahí están esas extrañas afirmaciones de Jesús de que daría su vida 'en rescate por muchos' (Marcos 11.45) y derramaría su sangre (que él llamaba 'sangre del pacto') 'para perdón de sus pecados' (Mateo 26.28). En un ejemplo no hay redención. Un modelo no puede asegurar nuestro perdón.

Además, ¿por qué se sintió tan oprimido por presagios terribles y angustiosos, a medida que se aproximaba a la cruz? ¿Cómo se explica la inmensa agonía del jardín de Getsemaní, sus lágrimas, su clamor y su sudor de sangre? 'Padre mío, si es posible, líbrame de este trago amargo; pero que no se haga lo que yo quiero, sino lo que quieres tú'. Otra vez: 'Padre mío, si no es posible evitar que yo sufra esta prueba, hágase tu voluntad' (Mateo 26.39, 42). ¿Fue el trago amargo ante el cual retrocedió el símbolo de la muerte por crucifixión? ¿Tuvo entonces miedo del dolor y la muerte? Si es así, su ejemplo puede haber sido de sumisión y paciencia, pero de ninguna manera de coraje. Platón nos dice que Sócrates bebió la copa de cicuta en la cárcel de Atenas 'de buena gana y alegremente'. ¿Fue Sócrates más valiente que Jesús? ¿O es que aquellas dos copas contenían venenos diferentes? ¿Y qué significado tuvieron las densas tinieblas que cubrieron la tierra, el grito de desamparo y la división del velo del templo de Jerusalén de arriba abajo? Todas estas cosas carecen de significado si Jesús murió sólo para darnos un ejemplo. En efecto, algunas de ellas parecen hacer que su ejemplo sea menos digno de emulación.

Si la muerte de Cristo fuese sólo un ejemplo, una buena parte de los Evangelios permanecería como algo misterioso. Además, nuestra necesidad humana quedaría insatisfecha. No necesitamos un ejemplo solamente: necesitamos un Salvador. Un ejemplo podría excitar la imaginación, avivar el idealismo y fortalecer la resolución, pero no limpiar la mancha de nuestro pasado, dar paz a la conciencia atribulada y reconciliarnos con Dios.

De todos modos los apóstoles no dejan lugar a dudas al respecto, sino que siempre asocian la venida y muerte de Cristo con nuestros *pecados*.

> Cristo murió por nuestros pecados,
> según las Escrituras. 1 Corintios 15.3

> Cristo mismo sufrió la muerte por
> nuestros pecados. 1 Pedro 3.18

> Jesucristo vino al mundo para quitar los
> pecados. 1 Juan 3.5

Aquí tenemos a los tres grandes escritores apostólicos del Nuevo Testamento, vinculando únicamente la muerte de Cristo con nuestros pecados.

Cristo murió como portador de nuestros pecados

La frase que Pedro usa en su carta (2.24) para describir la relación entre la muerte de Cristo y nuestros pecados es ésta: 'Cristo mismo llevó nuestros pecados en su cuerpo sobre la cruz.' La expresión 'llevar el pecado' tiene para nosotros un sonido extraño y para entenderla tenemos que remitirnos al Antiguo Testamento. La idea aparece con mayor frecuencia en Levítico y Números, donde muchas veces se habla del que infringe una de las leyes reveladas de Dios, y se dice que él 'cargará con la culpa' (Levítico 5.1, RVR). Así, por ejemplo: 'Los hijos de Israel no se acercarán al Tabernáculo de reunión, para que no carguen con un pecado por el cual mueran' (Números 18.22, RVR). Y otra vez: 'Finalmente, si una persona peca, o hace alguna de todas aquellas cosas que por mandamiento de Jehová no se han de hacer … es culpable y llevará su pecado' (Levítico 5.17, RVR). La expresión sólo puede significar una cosa: 'llevar el pecado' es sufrir las consecuencias del pecado propio, es soportar la sanción.

Pero a veces se da la idea de que otra persona puede asumir la responsabilidad por el pecador. En el capítulo 30 en Números, que trata de la validez de los votos o juramentos, Moisés explica que el voto del marido o de la viuda debe permanecer. Sin embargo, el voto de una joven soltera o de una mujer casada tiene que ser aprobado por el padre o el marido, respectivamente. Si en el día en que el marido oye el voto de su mujer no lo aprueba, y más tarde se demuestra que era una tontería, se dice que '*él* cargará el pecado de *ella*' (30.15, RVR). Hacia el final del libro de Lamentaciones aparece otro ejemplo, en el cual, después de la destrucción de Jerusalén, los israelitas exclaman: 'Nuestros padres pecaron, y ya no existen, y *nosotros* cargamos con sus culpas' (5.7).

Aquellos sacrificios de la legislación mosaica que hoy suenan un tanto extraños ilustran también la posibilidad de que otra persona acepte la responsabilidad y lleve las consecuencias de nuestros pecados. De la ofrenda por el pecado se decía que Dios la había dado a fin de llevar la iniquidad de la congregación, 'para que sean reconciliados delante de Jehová' (Levítico 10.17, RVR). Asimismo, en el día de la expiación, Aarón debía colocar las manos sobre la cabeza del macho cabrío (acto en el cual él y su pueblo se identificaban en el animal) y entonces tenía que confesar los pecados de la nación, transfiriéndolos simbólicamente al macho cabrío que era arrojado al desierto. Luego leemos que 'aquel macho cabrío llevará sobre sí todas sus iniquidades a tierra inhabitada' (Levítico 16.22, RVR). Esto muestra que 'llevar el pecado' de otro significa transformarse en su sustituto, sufrir en su lugar el castigo de su pecado .

A pesar de esta sorprendente provisión temporaria, 'la sangre de los toros y de los chivos no puede quitar los pecados', como afirma el autor de la Carta a los Hebreos (10.4). Por eso en el más largo de los Cánticos del Siervo, en Isaías 53, el inocente que sufre (que anticipa a Cristo) es definido con toda intención en términos de un sacrificio. Es llevado 'como cordero al matadero', no sólo porque 'ni siquiera abrió la boca' sino también porque 'el Señor cargó sobre él la maldad de todos nosotros', de tal manera que 'se entregó en sacrificio por el pecado'. 'Todos nosotros nos perdimos como ovejas', pero él también 'como oveja' 'fue traspasado a causa de nuestra rebeldía, fue atormentado a causa de nuestras maldades; el castigo que sufrió nos trajo la paz, por sus heridas alcanzamos la salud'. Ahora bien, todo este lenguaje, que con tanta claridad apunta a una sustitución al describir al Siervo 'traspasado a causa de nuestra rebeldía', es resumido en este capítulo en las dos frases que ya hemos visto en Levítico: 'él cargaba con nuestros sufrimientos' y 'cargó con los pecados de muchos'.

Cuando al fin llegó Jesucristo, después de siglos de preparación, Juan el Bautista lo saludó públicamente con estas palabras extraordinarias: '¡Miren, ese es el Cordero de Dios, que quita el pecado del mundo!' (Juan 1.29). Asimismo, cuando más tarde se escribieron los libros del Nuevo Testamento, sus autores no tuvieron dificultad en reconocer la muerte de Jesús como un sacrificio final en el cual todos los sacrificios del Antiguo Testamento alcanzaron su cumplimiento final. Esta verdad es una parte importante del mensaje de la Carta a los Hebreos. Los antiguos sacrificios eran de toros y cabritos: Cristo se ofreció a sí mismo. Los antiguos sacrificios tenían que repetirse indefinidamente: Cristo murió una vez para siempre. 'Cristo ha sido ofrecido en sacrificio una sola vez para quitar los pecados de muchos' (Hebreos 9.28).

Esta última frase nos lleva de nuevo a la expresión de Pedro cuando dice que 'Cristo mismo llevó nuestros pecados en su cuerpo sobre la cruz' (1 Pedro 2.24). El Hijo de Dios se identificó con los pecados de los hombres. No se contentó con asumir nuestra naturaleza: ¡también tomó sobre sí nuestra iniquidad! No sólo 'se hizo hombre' en el vientre de María: ¡fue 'hecho pecado' en la cruz del Calvario!

Estas palabras finales son del apóstol Pablo. Se encuentran entre las expresiones más sorprendentes de toda la enseñanza bíblica sobre la expiación. Pero no podemos escaparnos de su significado. En los versículos anteriores (en 2 Corintios 5) Pablo ha afirmado que Dios rehusó imputarnos nuestros pecados, o tomarlos en cuenta contra nosotros. En otras palabras, en su amor por nosotros —un amor que no merecemos—, Dios no quiso hacernos responsables por nuestros pecados. No quiso que se dijera de nosotros como de tantas personas en tiempos del Antiguo Testamento: 'ellos llevarán su iniquidad'. ¿Qué hizo, entonces? 'Cristo no cometió pecado alguno; pero por causa nuestra, Dios lo hizo pecado, para hacernos a nosotros justicia de Dios en Cristo' (2 Corintios 5.21). Cristo no tuvo pecados propios: en la cruz fue hecho pecado con nuestros pecados.

Cuando contemplamos la cruz comenzamos a entender el terrible alcance de estas palabras. Al medio día 'toda la tierra quedó en oscuridad hasta las tres de la tarde' (Marcos 15.33), hasta que Jesús murió. La oscuridad estuvo acompañada por el silencio: ningún ojo podía ver y ningún labio describir la agonía de alma que soportó el inmaculado Cordero de Dios. Los pecados acumulados de toda la historia humana fueron colocados sobre él. Los cargó voluntariamente en su propio cuerpo. Los hizo suyos. Asumió toda la responsabilidad por ellos.

Cristo no tuvo pecados propios: en la cruz fue hecho pecado con nuestros pecados.

Y entonces, en el marco de desamparo espiritual, de angustia y desolación, de sus labios surgió un gemido desgarrador: 'Dios mío, Dios mío, ¿por qué me has abandonado?' (Marcos 15.34). Era una cita del primer versículo del Salmo 22. Posiblemente Jesús había estado meditando, mientras agonizaba, sobre esta descripción de los sufrimientos y la gloria del Cristo. Pero, ¿por qué citó este versículo? ¿Por qué no citó uno de los versículos de triunfo que figuraban al final del mismo salmo? ¿Por qué no tomó, por ejemplo, el versículo 23 ('Ustedes, los que honran al Señor, ¡alábenlo!') o el 28 ('el Señor es el Rey')? ¿Hemos de creer que fue un grito de debilidad, desperación humana, o que el Hijo de Dios estaba imaginando cosas que no existían?

No. A estas palabras hay que darles el peso que tienen. Jesús citó este versículo de las Escrituras, como citó otros, porque entendió que se estaba cumpliendo en él. Estaba llevando sobre sí nuestros pecados. Y Dios, que es 'demasiado puro para consentir el mal' y no puede 'contemplar con agrado la iniquidad' (Habacuc 1.13), escondió de él su rostro. Nuestros pecados se interpusieron entre el Padre y el Hijo. El Señor Jesucristo, que estaba eternamente con el Padre, y gozó de comunión ininterrumpida con él durante su vida en la tierra, fue abandonado momentáneamente. Nuestros pecados enviaron a Cristo al infierno. Él saboreó el tormento del alma separada de Dios. Al llevar nuestros pecados, murió nuestra propia muerte. Soportó en nuestro lugar el castigo de la separación de Dios que nuestros pecados merecían.

Luego, de pronto, emergiendo de una espantosa oscuridad, gritó triunfante: 'Todo está cumplido' (Juan 19.30), y luego: '¡Padre, en tus manos encomiendo mi espíritu!' (Lucas 23.46). Y así murió. La obra que había venido a realizar estaba terminada. Los pecados del mundo habían sido llevados. La reconciliación con Dios estaba así al alcance de todos los que confiaran en él como su Salvador personal y lo recibieran como tal. Inmediatamente, como para demostrar públicamente esta verdad, la invisible mano de Dios rasgó el velo del templo de Jerusalén y lo echó a un lado. Ya no hacía falta. El camino a la presencia santa de Dios ya no estaba cerrado. Cristo había 'abierto las puertas del cielo para todos los creyentes'. Y treinta y seis horas después fue levantado de la tumba para demostrar que no había muerto en vano.

'En Cristo, Dios estaba reconciliando consigo mismo al mundo.'

Este relato, sencillo y maravilloso, de la manera que el Hijo de Dios llevó nuestros pecados, no goza de popularidad hoy día. Se dice que el hecho de que él llevara nuestros pecados y sufriera nuestro castigo es inmoral, indigno o injusto. Y, por supuesto, se lo puede tomar como una farsa. No estamos sugiriendo que no nos queda nada por hacer. Naturalmente, tenemos que volver 'al Pastor y Obispo' de nuestras almas (1 Pedro 2.25, RVR), morir en cuanto a los pecados y vivir una vida de rectitud, como Pedro afirma. Sobre todo no podemos olvidar que 'todo esto es la obra de Dios' y procede de su misericordia inimaginable. Jesucristo no es un tercero que arrebata nuestra salvación de la mano de un Dios que no quiere salvar. No. La iniciativa fue del mismo Dios. 'En Cristo, Dios estaba reconciliando consigo mismo al mundo' (2 Corintios 5.19). No puedo explicar *cómo* Dios pudo estar en Cristo al mismo tiempo que hizo a Cristo pecado por nosotros; pero el mismo apóstol afirma estas dos verdades en el mismo párrafo. Debemos aceptar esta paradoja junto con esa otra, igualmente desconcertante, de que Jesús de Nazaret es hombre y Dios y, sin embargo, una sola persona. Si existe una paradoja en su persona, no hemos de sorprendernos que la haya también en su obra.

Pero aunque no podamos resolver la paradoja ni sondear el misterio, debemos aceptar la declaración directa de Cristo y sus apóstoles, de que él llevó nuestros pecados y ocupó nuestro lugar.

Que esto es lo que Pedro quiso decir, es evidente sobre la base de tres consideraciones. Primero, afirma que Cristo llevó nuestros pecados en su cuerpo sobre 'el madero' (1 Pedro 2.24, RVR; 'la cruz', DHH). No hay lugar a dudas de que usa la palabra deliberadamente, tal como lo hizo en sus primeros sermones registrados en Hechos, como por ejemplo cuando dijo: 'El Dios de nuestros antepasados resucitó a Jesús, el mismo a quien ustedes mataron colgándolo en una cruz' (Hechos 5.30; 'en un madero', RVR). Sus oyentes judíos no habrán tenido dificultad en comprender la alusión del orador a Deuteronomio 21.23 donde dice: 'Maldito de Dios es el que muere colgado'. El hecho de que Jesús terminara su vida colgado en 'un madero' (puesto que para los judíos el ser clavado a una cruz equivalía a ser colgado en un madero) significó que estaba bajo la maldición divina.

Lejos de repudiar esta idea, los apóstoles la aceptaron. Pablo la explica en Gálatas 3.10, cuando dice que en Deuteronomio está escrito: 'Maldito sea el que no cumple fielmente todo lo que está escrito en el libro de la ley'. Pero 'Cristo nos rescató de la maldición de la ley haciéndose maldición por causa nuestra, porque la Escritura dice: 'Maldito todo el que muere colgado de un madero' (3.13). El significado de estos versículos en su contexto es claro e ineludible: la justa maldición contra los transgresores, a causa de su quebrantamiento de la ley, fue transferida a Jesús sobre la cruz. Él nos libró de la maldición tomándola sobre sí mismo cuando murió.

Segundo, este pasaje de 1 Pedro contiene por lo menos cinco reminiscencias verbales de Isaías 53.

1 Pedro 2	Isaías 53
22: Cristo no cometió ningún pecado ni engañó jamás a nadie.	9: Nunca cometió ningún crimen ni hubo engaño en su boca.
23: [fue insultado]	3: Los hombres lo despreciaban y lo rechazaban.
24: Cristo mismo llevó nuestros pecados … Cristo fue herido para que ustedes fueran sanados.	12: Cargó con los pecados de muchos. 5: Por sus heridas alcanzamos la salud.
25: Andaban antes como ovejas extraviadas.	6: Todos nosotros nos perdimos como ovejas.

Ya hemos visto que el capítulo 53 de Isaías pinta a un sufriente inocente que es herido por las transgresiones de otros y ofrece su vida en sacrificio por ellos. Está fuera de toda duda que Jesús mismo interpretó su misión y muerte a la luz de este capítulo. Y que sus seguidores hicieron lo mismo. Así, por ejemplo, cuando el eunuco etíope preguntó al evangelista Felipe a quién se refería el profeta en este capítulo que él estaba leyendo mientras viajaba en su carroza. Felipe inmediatamente 'le anunció la buena noticia acerca de Jesús' (Hechos 8.35).

Tercero, Pedro se refiere otras veces a la cruz en la misma carta, lo cual confirman nuestra interpretación de sus palabras en el capítulo 2. Describe a sus lectores como rescatados 'con la sangre preciosa de Cristo, que fue ofrecido en sacrificio como un cordero sin defecto ni mancha' (1 Pedro 1.19) y 'rociados con la sangre de Jesucristo' (1.2, RVR). Ambas expresiones se refieren al sacrificio pascual original de la época del éxodo. En esa oportunidad cada familia israelita tomó un cordero, lo mató, y con su sangre roció los dinteles y puertas laterales de su casa. Sólo así estuvieron a salvo del juicio de Dios y escaparon de la esclavitud egipcia. Libremente Pedro aplica a Cristo el simbolismo de la Pascua, como lo hace también Pablo cuando dice que 'Cristo, que es el Cordero de nuestra Pascua, fue muerto en sacrificio por nosotros' (1 Corintios 5.7). Él derramó su sangre para redimirnos del juicio de Dios y de la esclavitud del pecado. Para que nos beneficiemos de ella, debe ser rociada en nuestro corazón, es decir, aplicada a cada uno personalmente.

La otra importante referencia de Pedro a la cruz se encuentra en 1 Pedro 3.18: 'Cristo mismo sufrió la muerte por nuestros pecados, una vez para siempre. Él era inocente, pero sufrió por los malos, para llevarlos a ustedes a Dios.'

El pecado nos había separado de Dios; pero Cristo deseaba llevarnos de regreso a Dios. Por eso sufrió por nuestros pecados: el inocente Salvador murió por pecadores culpables. Y lo hizo 'de una vez para siempre', definitivamente, de manera que lo que hizo no puede repetirse, ni mejorarse, ni aun suplementarse.

Cristo murió para expiar nuestros pecados por la sencilla razón de que nosotros no podemos expiarlos por nuestra cuenta.

No debemos pasar por alto lo que esto supone. Significa que ninguna observancia religiosa ni la realización de buenas obras podrán jamás ganar nuestro perdón. Sin embargo, muchos en el mundo contemporáneo han optado por esta caricatura de cristianismo. No ven ninguna diferencia fundamental entre el evangelio cristiano y las religiones orientales. Y esto es comprensible, puesto que consideran a la religión como un sistema de mérito humano. Dicen: 'Dios ayuda a quienes se ayudan a sí mismos'. Pero no hay posibilidad de reconciliar esta noción con la cruz de Cristo. Él murió para expiar nuestros pecados por la sencilla razón de que nosotros no podemos expiarlos por nuestra cuenta. Si pudiéramos hacerlo, la expiación hecha por Cristo sería una redundancia. En efecto, afirmar que podemos alcanzar el favor de Dios por nuestro propio esfuerzo es insultar a Jesucristo, puesto que equivale a decir que podemos arreglárnoslas sin él, que no era necesario que él muriera. Como dice Pablo: 'Si se obtuviera la justicia por medio de la ley, Cristo habría muerto inútilmente' (Gálatas 2.21).

El mensaje de la cruz sigue siendo en nuestro tiempo, como lo era en el de Pablo, una tontería para los sabios y un tropezadero para los justos; pero ha proporcionado paz a millones de conciencias. Como Ricardo Hooker escribiera en un sermón que predicó en 1585:

> Llámenlo necesidad, frenesí, entusiasmo, o lo que quieran. Es nuestra sabiduría y nuestro consuelo. No nos interesa otro conocimiento en el mundo que éste: que el hombre ha pecado y Dios ha sufrido; que Dios se ha hecho el pecado de los hombres, y que los hombres son hechos la justicia de Dios.

Todo cristiano puede repetir estas palabras. Hay santidad por medio de las heridas de Cristo, vida por medio de su muerte, perdón por medio de su dolor, salvación por medio de sus sufrimientos.

Guía de estudio 7
La muerte de Cristo

Propósito Examinar el significado que el Nuevo Testamento atribuye a la muerte de Cristo y ayudar a cada miembro del grupo a comprender su necesidad del perdón de Dios por medio de ese sacrificio.

Preguntas **1.** ¿Cuál es el tema central de la Biblia? ¿Cuál es el sentido que le da la cultura popular a la cruz? ¿Cómo se diferencia con la propuesta de la Biblia?

2. ¿Qué aspectos fundamentales incluye la salvación del hombre?

3. ¿Qué enseña el Antiguo Testamento acerca de los sacrificios (páginas 131–133)? (El coordinador deberá estar atento al trasfondo del grupo y proveer la información necesaria). ¿Qué importancia tiene esta enseñanza para comprender el significado de la muerte de Cristo?

4. ¿Por qué manifiesta Stott que 'sin la cruz no hay cristianismo' (página 135)?

5. ¿Por qué razón es importante aquello que escribió Simón Pedro acerca de la muerte de Jesús en su primera carta? ¿Qué razones da el autor para detenerse en el análisis de lo que dice Pedro (páginas 136–137)?

6. ¿En qué sentido la muerte de Jesús es para nosotros un ejemplo? (páginas 137–140) ¿Por qué razón no podemos considerar a la muerte de Cristo como una manifestación del amor de Dios que ejerce en nosotros una influencia subjetiva?

7. ¿De qué manera nos ayuda el rito del día de la expiación, según Levítico 16, a entender la obra de Cristo (páginas 141–144)? ¿Cómo se entiende el grito de desolación de Jesús sobre la cruz, según Marcos 15.15–34?

8. ¿Por qué es importante entender que, si Cristo 'llevó nuestros pecados', eso significa que 'sufrió el castigo de nuestros pecados en nuestro lugar' (página 145)? ¿Qué significa para nosotros en forma personal el hecho de que Cristo haya llevado nuestros pecados?

Dedicar un momento a la confesión y la alabanza.

Para el próximo encuentro

1. Leer el capítulo 8 de *Cristianismo básico.*

2. Estudiar Juan 14.15–26 y 16.4–15; Romanos 8.9–17. Identificar las diversas formas en las cuales el Espíritu Santo actúa como nuestro 'Consolador', 'uno llamado al lado para ayudar'.

Para seguir leyendo

Conociendo a Jesús a través del Antiguo Testamento, Christopher Wright, Andamio, 1996.

La cruz y el ministerio cristiano, Donald Carson, Andamio, 1994.

Jesús; el único y suficiente, Beth Moore, Lifeway, 2003.

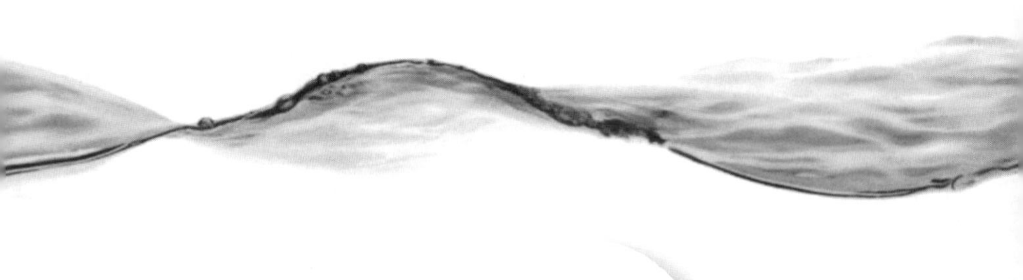

La salvación provista por Cristo

8

El término 'salvación' es sumamente amplio. Es un gran error suponer que se refiere meramente al perdón de los pecados. Dios tiene tanto interés en el presente y el futuro como en nuestro pasado. Su propósito es en primer lugar reconciliarnos consigo, y luego, progresivamente, liberarnos del egocentrismo y conducirnos a una vida en armonía con nuestros semejantes. El perdón y la reconciliación los debemos primordialmente a la muerte de Cristo, pero el que nos libera de nosotros mismos es su Espíritu, y en su iglesia podemos unirnos en una hermandad de amor. Estos son los aspectos de la salvación provista por Cristo que ahora pasamos a considerar.

El Espíritu de Cristo

Como hemos visto, no debemos concebir nuestros pecados como una serie de incidentes desconectados, sino como síntomas de una enfermedad moral interna. Para ilustrar esto, Jesús empleó en varias ocasiones la comparación del árbol y de los frutos. Según él, la calidad de los frutos depende de la calidad del árbol que los produce. 'Todo árbol bueno da fruto bueno, pero el árbol malo da fruto malo. El árbol bueno no puede dar fruto malo, ni el árbol malo dar fruto bueno' (Mateo 7.17–18).

Por lo tanto, la causa de nuestros pecados es nuestro pecado: la naturaleza que hemos heredado está pervertida y es egocéntrica. Como dice Jesús, nuestros pecados proceden de adentro, del 'corazón'. Por lo tanto, el cambio de conducta depende del cambio de naturaleza. 'Si el árbol es bueno, dará buen fruto,' dice Jesús (Mateo 12.33).

Pero ¿puede ser cambiada la naturaleza humana? ¿Es posible hacer una persona dulce de una colérica, una persona humilde de una orgullosa, una persona altruista de una egoísta? La Biblia declara enfáticamente que estos milagros pueden suceder. Esta es parte de la gloria del Evangelio. Jesucristo ofrece cambiar no sólo nuestra posición delante de Dios, sino también nuestra propia naturaleza. A Nicodemo le expresó de la necesidad ineludible de un nuevo nacimiento, y sus palabras mantienen su vigencia en relación con nosotros: "Te aseguro, que el que no nace de nuevo, no puede ver el reino de Dios … No te extrañes de que te diga: 'Todos tienen que nacer de nuevo'"(Juan 3.3,7).[1]

Las palabras que Pablo emplea son en cierto sentido aún más dramáticas. Abruptamente, en una frase que no tiene verbos, afirma: 'Si algún hombre en Cristo —nueva creación' (2 Corintios 5.17, literalmente). Estamos, pues, frente a la posibilidad de la cual nos habla el Nuevo Testamento: un nuevo corazón, una nueva naturaleza, un nuevo nacimiento, una nueva creación.

Este tremendo cambio interno es la obra del Espíritu Santo. El nuevo nacimiento es un nacimiento que viene 'del Espíritu' (Juan 3.6). No viene al caso analizar aquí la misteriosa doctrina de la Trinidad. Para nuestro propósito basta considerar lo que los primeros apóstoles recibieron acerca del Espíritu Santo ilustrando su enseñanza con su propia experiencia.

En primer lugar, es necesario comprender que el Espíritu Santo no comenzó ni su existencia ni su actividad el día de Pentecostés. Él es Dios. Es, por lo tanto, eterno y ha estado activo en el mundo desde su creación. El Antiguo Testamento se refiere con frecuencia a él, y los profetas predicen la época en que su actividad aumentará y se difundirá, cuando Dios pondrá su Espíritu dentro de su propio pueblo, a fin de hacer posible la obediencia a la ley.

Lo que los profetas del Antiguo Testamento predijeron, Cristo lo prometió como una expectativa inmediata. Pocas horas antes de morir, reunido en el aposento alto con los Doce, habló del 'Defensor', ('Consolador', RVR), 'el Espíritu de Verdad', que vendría a ocupar su lugar.

En efecto, la presencia del Espíritu Santo sería para ellos aún mejor que su propia presencia terrenal. 'Es mejor para ustedes que yo me vaya. Porque si no me voy, el Defensor no vendrá para estar con ustedes; pero si me voy, yo se lo enviaré' (Juan 16.7). La ventaja radicaba en esto principalmente: Cristo había estado *con* ellos, al lado de ellos; pero 'él permanece con ustedes y estará *en* ustedes' (Juan 14.17).

Hay un sentido en el cual podemos decir que el ministerio de enseñanza de Jesús había fracasado. Varias veces había puesto a un niño en medio de sus discípulos para decirles que debían ser humildes como él; pero Simón Pedro siguió siendo orgulloso y prepotente. A menudo les había enseñado a amarse mutuamente, pero al parecer Juan siguió haciendo honor a su apodo ('hijo del trueno') hasta el fin. Sin embargo, cuando uno lee la 1ª Carta de Pedro no puede dejar de notar referencias a la humildad, y las cartas de Juan abundan en amor. ¿A qué se debe la diferencia? Al Espíritu Santo. Jesús les enseñó a ser humildes y amorosos, pero ninguna de esas cualidades se manifestó en su vida hasta que el Espíritu Santo entró en su personalidad y comenzó a cambiarlos desde adentro.

Cuando confiamos en el Señor Jesucristo y nos entregamos a él, el Espíritu Santo toma posesión de nosotros.

El día de Pentecostés 'todos quedaron llenos del Espíritu Santo' (Hechos 2.4). Nadie piense que ésta fue una extraña experiencia reservada para los apóstoles y otros santos eminentes. 'Llénense del Espíritu Santo' es un mandato que se da a todos los cristianos (Efesios 5.18). La presencia interna del Espíritu Santo es el certificado de nacimiento espiritual de cada cristiano. En efecto, si el Espíritu Santo no ha fijado su residencia en nosotros, no somos realmente cristianos. Como Pablo dice, 'El que no tiene el Espíritu de Cristo, no es de Cristo' (Romanos 8.9).

Esto es, pues, lo que enseña el Nuevo Testamento. Cuando ponemos la confianza en el Señor Jesucristo y nos entregamos a él, el Espíritu Santo toma posesión de nosotros. Dios lo envía a nuestro 'corazón' (Gálatas 4.6). Él hace de nuestro cuerpo su templo (1 Corintios 6.19).

Esto no quiere decir que de aquí en adelante estamos libres de la posibilidad de pecar. Al contrario, el conflicto se intensifica; pero, por otro lado, se ha abierto un camino de victoria. En Gálatas 5 el apóstol Pablo proporciona una vívida descripción de esa batalla. Los combatientes son la 'carne' (el nombre que él da a la naturaleza egoísta que hemos heredado) y 'el Espíritu'. 'Porque los malos deseos están en contra del Espíritu, y el Espíritu está en contra de los malos deseos. El uno está en contra de los otros, y por eso ustedes no pueden hacer lo que quisieran' (5.17).

Esto no es una árida teoría teológica: es la experiencia diaria de todo cristiano. Somos conscientes de deseos pecaminosos que ejercen presión sobre nosotros; pero ahora también nos damos cuenta de una fuerza contraria que nos impulsa hacia arriba para que vivamos en santidad. Si 'la carne' tuviera sueltas las riendas, nos arrojaría a la oscura selva de inmoralidad y vicio que Pablo menciona en los versículos 19 a 21. Por otra parte, si permitimos que el Espíritu Santo tenga la supremacía, el resultado será 'amor, alegría, paz, paciencia, amabilidad, bondad, fidelidad, humildad y dominio propio' (versículos 22 y 23). A estas atractivas virtudes Pablo las denomina 'el fruto del Espíritu'. Se compara el carácter humano con una huerta que el Espíritu Santo está cultivando. Si el árbol es bueno, su fruto también será bueno.

¿Cómo se puede dominar 'la carne', de manera que 'el fruto del Espíritu' crezca y madure? La respuesta está en la actitud interna que adoptemos frente a cada uno de los dos. 'Los que son de Cristo Jesús, ya han crucificado la naturaleza del hombre pecador junto con sus pasiones y malos deseos' (Gálatas 5.24). 'Vivan según el Espíritu, y no busquen satisfacer sus propios malos deseos' (Gálatas 5.16). Frente a 'la carne' debemos asumir una actitud de dura resistencia y despiadado rechazo, tan firme que se la pueda describir como una 'crucifixión'; pero al Espíritu que mora en nosotros debemos rendir confiadamente el dominio indiscutido de nuestra vida. Cuanto más nos habituemos a negarnos a la carne y a rendirnos al Espíritu, tanto más desaparecerán las abominables obras de la carne y serán reemplazadas por el hermoso fruto del Espíritu.

Mientras continuemos mirando a Cristo, seremos transformados a su imagen mediante el poder de su Espíritu.

Pablo enseña la misma verdad en 2 Corintios 3.18: 'Todos nosotros, ya sin el velo que nos cubría la cara, somos como un espejo que refleja la gloria del Señor, y vamos transformándonos en su imagen misma, porque cada vez tenemos más de su gloria, y esto por la acción del Señor, que es el Espíritu'. Mientras continuemos mirando a Cristo, seremos transformados a su imagen mediante el poder de su Espíritu. Nuestra parte es el arrepentimiento, la fe y la disciplina, pero la santidad es esencialmente la obra del Espíritu Santo.

> Y cada virtud que poseemos,
> y cada victoria ganada,
> y cada pensamiento de santidad,
> son suyos solamente,
>
> Espíritu de pureza y gracia,
> mira con piedad nuestra debilidad;
> ¡Oh, haz de nuestro corazón tu morada
> y más digno de ti![2]

William Temple solía ilustrar este punto de la siguiente manera. No se logra nada —decía— dándome un drama como *Hamlet* o *El rey Lear* y pidiéndome que escriba algo igual. Shakespeare podía hacerlo, yo no. Y no se logra nada mostrándome una vida como la de Jesús y diciéndome que yo viva así. Jesús podía hacerlo, yo no. Pero si el genio de Shakespeare pudiera venir y vivir en mí, entonces yo podría escribir dramas como los de él. Y si el Espíritu de Jesús pudiera venir y vivir en mí, entonces yo podría vivir como él. Este es el secreto de la santidad cristiana. No se trata de que nos esforcemos por vivir como Jesús, sino de que él venga y viva en nosotros por medio de su Espíritu. No basta tenerlo como ejemplo: lo necesitamos como Salvador.

El castigo de nuestros pecados nos es perdonado por medio de su muerte expiatoria; el poder de nuestros pecados es quebrado por medio de su Espíritu que vive en nosotros.

La iglesia de Cristo

El pecado tiene una tendencia centrífuga. Interfiere en las relaciones con nuestros semejantes. Nos separa de nuestro Creador, pero también de nuestros prójimos. Todos sabemos por experiencia cómo una comunidad (sea una escuela, un hospital, una fábrica o una oficina) puede convertirse en un hervidero de rivalidades y sospechas. Nos cuesta mucho el 'vivir juntos en armonía' (Salmo 133.1).

Pero el propósito de Dios es poner fin a las enemistades entre los hombres, a la vez que reconciliarnos consigo. Consecuentemente, no salva a personas aisladas, independientes, desconectadas entre sí: está llamando a *un pueblo* para que sea suyo.

Ya en los primeros capítulos de Génesis esto es claro. Dios llamó a Abraham para que dejara su casa y su parentela en la Mesopotamia, y le prometió una tierra por herencia y una descendencia tan numerosa que no se podría contar. Esta promesa de multiplicar los descendientes de Abraham y de bendecir, por medio de ellos, a todas las naciones de la tierra, fue ratificada a su hijo Isaac y a su nieto Jacob.

Sin embargo Jacob murió en el exilio, en Egipto. Sus doce hijos le sobrevivieron y llegaron a ser los padres de las doce tribus de *Israel* —el nombre que Dios había dado a Jacob. Con estos 'hijos de Israel', rescatados años después de la esclavitud de Egipto, Dios renovó su pacto.

Pero ¿cómo serían bendecidas todas las familias de la tierra? Siglo tras siglo, en el desarrollo de la historia de Israel, para el resto del mundo esta nación parecía más bien ser una maldición que una bendición. Rodeado de los altos muros de su propia construcción, el pueblo de Dios se resguardó para no contaminarse en el contacto con los gentiles inmundos. Hubo un momento en que pareció que perdería su destino como benefactores de la humanidad. ¿Había sido la promesa de Dios a Abraham una mentira? No. Muchos de los profetas sabían, por la palabra del Señor, que cuando viniera el Mesías, el Príncipe designado por Dios, de todos los confines vendrían peregrinos para entrar al reino de Dios.

Por fin vino Cristo. Jesús de Nazaret anunció la llegada del reino tan largamente esperado. Muchos vendrían —decía— del norte, del sur, del este y del oeste y se sentarían con Abraham, Isaac y Jacob. El pueblo de Dios ya no sería una nación aparte, sino una sociedad cuyos miembros procederían de todas las razas, tribus y lenguas. El Señor resucitado ordenó a sus seguidores: 'Vayan … a las gentes de todas las naciones, y háganlas mis discípulos' (Mateo 28.19). A la suma total de estos discípulos la llamó 'mi iglesia' (Mateo 16.18).

Nuestra común participación nos hace uno de manera profunda y permanente.

Así es como la promesa que Dios hizo a Abraham y que la repitió varias veces a él mismo y a sus hijos, se está cumpliendo hoy, en el desarrollo y expansión de la iglesia por todo el mundo. Pablo escribió: 'Y si son de Cristo, entonces son descendientes de Abraham y herederos de las promesas que Dios le hizo' (Gálatas 3.29).

Una de las imágenes más sobresalientes que Pablo usa para expresar la unidad de los creyentes en Cristo es la del cuerpo humano. La iglesia —dice— es el cuerpo de Cristo. Cada cristiano es un miembro, un órgano del cuerpo, en tanto que Cristo mismo es la cabeza que controla las actividades del cuerpo.

No todos los órganos tienen las mismas funciones, pero cada uno es necesario para la máxima salud y utilidad del cuerpo.

Además, a todo el cuerpo lo anima la misma vida. La unidad del cuerpo depende de su presencia. La iglesia le debe a él su coherencia. 'Hay un solo cuerpo, y un solo Espíritu', dice Pablo (Efesios 4.4). Ni siquiera las divisiones de las organizaciones externas de la iglesia, que son tan lamentables, destruyen su unidad espiritual interna. Esta es indisoluble, puesto que es 'la unidad del Espíritu' o 'la comunión del Espíritu' (2 Corintios 13.14, RVR). Nuestra común participación nos hace uno de manera profunda y permanente.

Naturalmente, uno no puede afirmar que es miembro de un gran cuerpo que se extiende por todo el mundo —la iglesia universal— a menos que en la práctica participe en una iglesia local. La oportunidad de adorar a Dios, gozarse en la comunión con otros y servir en la sociedad se da en la manifestación particular de la iglesia en todo el mundo, y la tenemos en la medida que participamos como miembros de la misma.

Muchos hoy reaccionan contra la iglesia-organización, y otros la rechazan por completo. A menudo esto es comprensible: la iglesia puede ser arcaica, introvertida, reaccionaria. Sin embargo, debemos recordar que la iglesia está compuesta por personas pecaminosas y falibles. Esta no es razón suficiente para que nos alejemos de ella, ya que nosotros también somos pecaminosos y falibles.

También tenemos que reconocer que no todos los miembros de la iglesia visible son, necesariamente, miembros de la iglesia real de Jesucristo. Algunos cuyos nombres constan en los registros de las iglesias no están inscritos 'en el cielo' (para usar la expresión de Jesús). Aunque este es un hecho al cual la Biblia se refiere con frecuencia, a nosotros no nos corresponde juzgar: 'El Señor conoce a los que le pertenecen' (2 Timoteo 2.19). La iglesia local admite como miembros, por medio del bautismo, a quienes *profesan tener fe* en Cristo. Pero sólo Dios sabe quiénes efectivamente *creen*, puesto que sólo él conoce el corazón.

Indudablemente los dos grupos coinciden en gran medida. Sin embargo, no son idénticos.

El Espíritu Santo no sólo es el autor de la vida común de la iglesia, sino también el creador de su amor común. El primer fruto del Espíritu es el amor. El amor está en la naturaleza misma del Espíritu, y él lo imparte a aquellos en quienes mora. Todos los cristianos han tenido esa sorprendente experiencia de sentirse atraídos hacia otros cristianos a quienes apenas conocen y cuya formación puede ser muy diferente de la suya. La relación que existe y crece entre los hijos de Dios es más íntima y cordial que las relaciones sanguíneas. Es el parentesco de la familia de Dios. 'Nosotros hemos pasado de la muerte a la vida, y lo sabemos porque amamos a nuestros hermanos,' dice Juan (1 Juan 3.14). Este amor no es sentimental. No es ni siquiera fundamentalmente emotivo. Su esencia es el autosacrificio: se manifiesta en el deseo de servir, ayudar y enriquecer a los demás. El amor contrarresta la fuerza centrífuga del pecado, puesto que el pecado divide donde el amor une, y separa donde el amor reconcilia.

El lugar del cristiano está en la comunidad cristiana local, pese a sus imperfecciones.

Por desgracia las páginas de la historia de la iglesia han sido a menudo manchadas por la estupidez y el egoísmo, e incluso por la franca desobediencia a la enseñanza de Cristo. Aún hoy algunas iglesias parecen estar muertas o a punto de morir, en lugar de vibrar llenas de vida. Otras están desgarradas por divisiones y apagadas por la falta de amor. Tenemos que admitir que no todos los que profesan ser cristianos y se llaman por este nombre manifiestan el amor o la vida de Jesucristo.

Sin embargo, el lugar del cristiano está en la comunidad cristiana local, pese a sus imperfecciones. Allí debe buscar esa nueva calidad de relación que Cristo da a su pueblo, y participar en la adoración y el testimonio de la iglesia.

Guía de estudio 8
La salvación provista por Cristo

Propósito Ayudar a cada miembro del grupo a entender que el don y la acción del Espíritu Santo son aspectos centrales de la salvación y estimular a que tomen en serio a la iglesia.

Preguntas

1. ¿Hemos intentado mejorar los 'frutos' sin considerar el tipo de 'árbol' que los produce? Expliquemos.

2. ¿Cómo se puede definir la salvación desde el punto de vista cristiano? ¿Qué aspectos incluye?

3. ¿De qué manera puede ser cambiada la naturaleza humana?

4. ¿Qué se puede responder a quienes sostienen que el Espíritu Santo es una fuerza impersonal?

5. ¿Qué cambios operó el Espíritu Santo en la vida de los discípulos? ¿Y qué evidencias vemos de su obra en nuestra vida?

6. ¿Podemos considerarnos cristianos sin tener el Espíritu Santo en nosotros?

7. ¿Qué significado tiene la palabra 'iglesia' en Mateo 16.18? ¿Cómo se entiende la analogía que hace Pablo entre la iglesia y el cuerpo humano (página 159–161)? ¿En qué sentido se puede hablar de una 'iglesia invisible'?

8. ¿Cuáles son las características que señalan a los hijos de Dios como miembros de una misma familia en cualquier parte del mundo?

9. ¿Cuáles son las razones para que existan tantas denominaciones en la iglesia cristiana? ¿Qué dificultades hay para lograr la unidad del pueblo evangélico en nuestro país?

10. ¿Somos todos miembros de una iglesia? Si lo somos, ¿de qué manera estamos contribuyendo a su crecimiento y al desarrollo de su misión?

11. ¿En qué áreas de nuestra vida y de nuestra comunidad necesitamos ver la obra santificadora del Espíritu Santo?

Orar juntos por lo que compartieron en este capítulo.

Para el próximo encuentro

1. Leer el capítulo 9 de *Cristianismo básico.*

2. Preparar un resumen de las tres primeras partes de *Cristianismo básico.* Cada miembro del grupo podría encargarse de resumir un capítulo.

3. Repasar las anotaciones en el diario de oración y pensar en lo que abarca nuestro compromiso cristiano en las diferentes áreas de nuestra vida.

Para seguir leyendo

Cuando el Espíritu Santo llega con poder, John White, Certeza Argentina, 1995.

Del conflicto a la madurez: La ruta del Espíritu, Jorge Atiencia, Lámpara, 1995.

El Espíritu Santo en la comunidad mesiánica, Juan Driver, CLARA–SEMILLA, 1992.

Manual para ministrar en el Espíritu: Ven Espíritu Santo, David Pytches, Certeza Argentina, 1999.

El mensaje de Efesios: La nueva humanidad, John Stott, Certeza Unida, 2006.

Dones: Un cuerpo en misión, Silvia Chaves y Juan Harrower, Certeza Argentina, 1993.

Ser testigos de Jesucristo, Darrell Guder, Kairós, 2000.

Señales de una iglesia viva, John Stott, Certeza Argentina, 2004.

Hombres de Dios, Jorge Atiencia, Certeza Argentina, 1995.

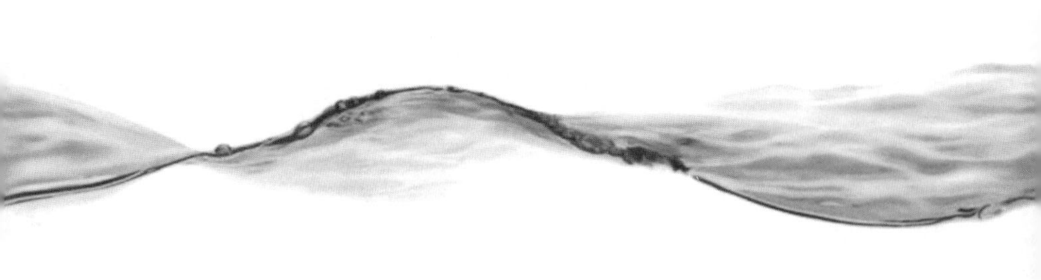

Parte IV
La respuesta del ser humano

9 El costo

Hasta aquí hemos examinado algunas de las evidencias de la deidad de Jesús de Nazareth; hemos considerado la necesidad del ser humano en cuanto a que es pecador, separado de Dios, esclavo de sí mismo y fuera de armonía con sus semejantes, y hemos bosquejado los principales aspectos de la salvación que Cristo ha logrado a favor de nosotros y que nos ofrece. Ahora pasamos a formular la pregunta personal que Saulo de Tarso hizo a Cristo Jesús en el camino a Damasco: '¿Qué debo hacer, Señor?' (Hechos 22.10), o la pregunta similar que planteó el carcelero de Filipos: '¿Qué debo hacer para salvarme?' (Hechos 16.30).

Es evidente que tenemos que hacer algo. El cristianismo no es la mera aceptación pasiva de una serie de afirmaciones, por veraces que sean. Podemos creer en la deidad de Cristo y la salvación lograda por él, y reconocer que somos pecadores con la necesidad de esa salvación, pero eso solamente no nos hace cristianos. Tenemos que responder a Jesucristo personalmente, entregándonos sin ninguna reserva a él como nuestro Salvador y Señor. En el próximo capítulo veremos la naturaleza exacta de este paso; en el presente nos ocuparemos de algunas de sus consecuencias prácticas.

Jesús nunca ocultó el hecho de que su religión incluía una exigencia a la vez que una oferta. En efecto, la exigencia era tan absoluta como gratuita la oferta. Si él ofrecía a los hombres su salvación, también exigía su sumisión. En ningún momento animó a quienes quisieran seguirlo sin estar dispuestos a calcular el costo del discipulado. Jamás presionó a ningún postulante. A los entusiastas irresponsables los despidió con las manos vacías. Lucas narra el caso de tres hombres que querían ser sus discípulos o fueron invitados con ese propósito; pero ninguno de ellos pasó las pruebas propuestas por el Señor (Lucas 9.57–62). También el joven príncipe rico —un hombre moral, sincero y simpático—, que quería la vida eterna poniendo sus propias condiciones, se fue triste, con todas sus riquezas pero sin la vida y sin Cristo como posesión.

En otra oportunidad grandes muchedumbres seguían a Jesús. Tal vez estaban gritando sus estribillos de adhesión y haciendo una manifestación impresionante de su lealtad a él. Pero Jesús sabía cuán superficial era ese interés por él. Deteniéndose y volviéndose a ellos, les narró una parábola y les hizo una penetrante pregunta:

> Si alguno de ustedes quiere construir una torre, ¿acaso no se sienta primero a calcular los gastos, para ver si tiene con qué terminarla? De otra manera, si pone los cimientos y después no puede terminarla, todos los que lo vean comenzarán a burlarse de él, diciendo: 'Este hombre empezó a construir, pero no pudo terminar.' Lucas 14.28–30

La campiña cristiana está sembrada de desastres producidos por el descuido, de torres a medio construir: la ruina de quienes comenzaron a edificar y no pudieron terminar. Miles de personas todavía no prestan atención a la advertencia de Cristo y se comprometen a seguirlo sin primero detenerse a reflexionar sobre el costo que tendrán que pagar para hacerlo. El resultado es el gran escándalo de la cristiandad, de lo que se llama 'cristianismo nominal'. En países donde se ha desarrollado la civilización cristiana hay muchísimas personas que se cubren con un barniz de cristianismo, vistoso pero superficial: lo suficiente para parecer respetables pero no para sentirse incómodos. Su religión es un almohadón grande y blando: los protege de las situaciones desagradables de la vida, pero lo cambian de lugar y forma según las conveniencias. ¡Cómo sorprenderse de que los críticos hablen de los hipócritas que hay en las iglesias y rechacen la religión por considerarla una forma de escapismo!

El mensaje de Jesús fue muy diferente. Nunca rebajó sus normas ni modificó sus condiciones para que su llamado fuera más aceptable. A sus primeros discípulos les exigió, y a todos sigue exigiéndoles desde entonces, una entrega total y consciente. Y no espera menos que eso. Ahora estamos en condiciones de discutir precisamente lo que Jesús dijo.

> Si alguno quiere ser discípulo mío, olvídese de sí mismo, cargue con su cruz y sígame. Porque el que quiera salvar su vida, la perderá; pero el que pierda la vida por causa mía y por aceptar el evangelio, la salvará. ¿De qué le sirve al hombre ganar el mundo entero, si pierde la vida? O también, ¿cuánto podrá pagar el hombre por su vida? Pues si alguno se avergüenza de mí y de mi mensaje delante de esta gente infiel y pecadora, también el Hijo del hombre se avergonzará de él cuando venga con la gloria de su Padre y con los santos ángeles. Marcos 8.34–38

El llamado a seguir a Cristo

En su forma más simple el llamado de Cristo era: 'Sígueme'. Pedía a la gente una adhesión personal. Los invitaba a aprender de él, a obedecer sus palabras, a identificarse con su causa.

No se puede seguir a Jesús sin un abandono previo. Seguir a Cristo significa renunciar a lealtades de menor importancia. Cuando él vivía entre los hombres aquí en la tierra, esto significaba un abandono literal del hogar y el trabajo. Simón y Andrés 'dejaron sus redes y se fueron con él' (Marcos 1.18). Jacobo y Juan 'dejaron a su padre Zebedeo en la barca con sus ayudantes, y se fueron con Jesús' (Marcos 1.20). Mateo, que escuchó el llamado de Cristo mientras estaba 'sentado en el lugar donde cobraba los impuestos … se levantó, y dejándolo todo siguió a Jesús' (Lucas 5.27–28).

Hoy, en principio, el llamado de Jesucristo no ha cambiado. Todavía dice: 'Sígueme'. Y agrega: 'cualquiera de ustedes que no deje todo lo que tiene, no puede ser mi discípulo' (Lucas 14.33). Sin embargo, para la mayoría de los cristianos esto no significa que en la práctica tengan que abandonar su hogar o su empleo. Significa más bien, la entrega de los dos y el rehusar a que la familia o la ambición ocupen el primer lugar en la vida.

Permítaseme ser más explícito en cuanto a esta renuncia que no puede separarse del discipulado cristiano.

En primer lugar, debe haber *una renuncia al pecado*. Esto es, en una palabra, el arrepentimiento. Es el primer paso en la conversión cristiana. No se lo puede esquivar bajo ninguna circunstancia. El arrepentimiento y la fe forman un todo indivisible. No podemos seguir a Cristo sin abandonar el pecado.

El arrepentimiento es un alejamiento definitivo de todo pensamiento, palabra, acción o acto que sabemos que es malo. No basta sentir remordimiento de conciencia o pedir disculpas a Dios. El arrepentimiento no es fundamentalmente un asunto de emoción o de palabras. Es un cambio interior, un cambio de actitud hacia el pecado, que a su vez conduce a un cambio de conducta.

El arrepentimiento es un cambio interior, un cambio de actitud hacia el pecado, que a su vez conduce a un cambio de conducta.

Sobre este particular no puede haber arreglos. En nuestra vida puede haber pecados a los que nos parece que nunca podremos renunciar; pero cuando clamamos a Dios que nos libere de ellos, tenemos que estar dispuestos a abandonarlos. Si tú estás en dudas en cuanto a lo bueno y lo malo —a lo que debes retener y a lo que debes dejar—, no te dejes influenciar por los usos y las costumbres de los cristianos que conozcas. Guíate por la enseñanza de la Biblia y los dictados de tu conciencia, y Cristo te guiará gradualmente en el camino de la rectitud. Cuando el Señor te señale alguna cosa, déjala de inmediato. Puede ser alguna relación o recreación, alguna literatura que lees, o alguna actitud de orgullo, celo o resentimiento, o un espíritu rencoroso.

Jesús dijo a sus seguidores que es preferible quitarse el ojo o cortarse la mano o el pie que hayan sido la causa del pecado. Naturalmente no podemos obedecer esto literalmente y mutilarnos el cuerpo. Es una vívida figura del lenguaje, que destaca la necesidad de tomar medidas drásticas contra los medios a través de los cuales somos tentados.

A veces el verdadero arrepentimiento tiene que incluir alguna 'restitución': hay que arreglar cuentas con ciertas personas a quienes hemos causado daño. Todos nuestros pecados hieren a Dios, y no hay nada que podamos hacer para sanar la herida. Sólo la muerte expiatoria de nuestro Salvador Jesucristo puede hacer eso. Pero cuando nuestros pecados han causado daño a otras personas, a veces podemos ayudar a reparar el daño, y en tal caso debemos hacerlo. Zaqueo, el deshonesto cobrador de impuestos, restituyó cuadruplicado el dinero que había robado a sus conciudadanos y prometió dar hasta la mitad de su capital a los pobres, a fin de compensar los robos que no podía restituir. Debemos seguir su ejemplo. Puede ser que haya dinero o tiempo que debemos pagar, o un mal que debemos corregir, propiedades que debemos devolver, disculpas que debemos pedir, o relaciones interrumpidas que debemos restablecer.

Sin embargo, no debemos ser excesivamente puntillosos respecto a este asunto. Sería necio revolver los daños pasados y desenterrar palabras o hechos insignificantes olvidados ya desde hace mucho por la persona ofendida. Pero debemos prestar atención a este deber. Conocí a un estudiante que confesó a las autoridades universitarias que había trampeado en un examen y a otro que devolvió libros de texto que había robado de cierta librería. Un oficial del ejército envió al Ministerio de Defensa una lista de objetos que había sustraído. Si nuestro arrepentimiento es verdadero, desearemos hacer todo cuanto esté a nuestro alcance para reparar el mal que hemos hecho.

No podemos continuar gozando del fruto del pecado del cual queremos ser perdonados.

En segundo lugar, debe haber *una renuncia al ego*. Para seguir a Cristo no basta abandonar pecados aislados: hay que renunciar al principio mismo de autoafirmación que está en la raíz de todo acto de pecado. Seguir a Cristo es rendirle a él todos los derechos sobre nuestra vida. Es abdicar al trono de nuestro corazón y alabar a Cristo como nuestro Rey. Jesús describe vívidamente en tres frases esta renuncia al ego.

La primera frase se refiere a *la negación de uno mismo*: 'Si alguno quiere venir en pos de mí, niéguese a sí mismo' (Marcos 8.34 RVR). La versión Dios Habla Hoy traduce 'olvídese de sí mismo'. El mismo verbo se emplea con relación a la negación del Señor por parte de Pedro, en el patio del palacio sumo sacerdotal. Tenemos que negarnos completamente, como cuando Pedro negó a Cristo diciendo: 'No conozco a ese hombre' (Marcos 14.71). Olvidarse de uno mismo no es simplemente privarse de bombones o dejar de fumar, sea permanentemente o por un período de abstinencia voluntaria. No es olvidarse de ciertas cosas sino olvidarse de uno mismo. Significa decir *no* al ego, y *sí* a Cristo; he de repudiar al ego y reconocer a Cristo.

La siguiente frase de Jesús habla de *la toma de la cruz*. 'Si alguno quiere venir en pos de mí, niéguese a sí mismo, y tome su cruz y sígame' (Marcos 8.34, RVR). La versión Dios Habla Hoy traduce 'olvídese de sí mismo, cargue con su cruz y sígame'. Si hubiéramos vivido en Palestina y visto a un hombre llevando su cruz, de inmediato habríamos reconocido en él a un criminal convicto en camino al patíbulo. Palestina era un país ocupado y los romanos obligaban a los criminales convictos a llevar la cruz. Así que —según escribe H. B. Swete en su comentario sobre el Evangelio de Marcos— llevar la cruz es 'colocarse uno mismo en la situación del reo que va camino a la ejecución'. En otras palabras, la actitud hacia el ego que debemos adoptar es la de una crucifixión. Pablo usa la misma metáfora cuando declara que 'los que son de Cristo Jesús, ya han crucificado la naturaleza del hombre pecador junto con sus pasiones y malos deseos' (Gálatas 5.24).

En la versión que Lucas ofrece de las palabras de Cristo se añade la frase 'cada día' (Lucas 9.23). El cristiano debe morir cada día. Cada día renuncia a la soberanía de su propia voluntad. Cada día renueva su entrega incondicional a Cristo.

La tercera expresión que Jesús usa para describir la renuncia al ego es *perder la vida*. 'El que pierda la vida ... la salvará' (Marcos 8.35). La palabra 'vida' que se usa aquí no denota la vida física ni el alma, sino el ego. *Psyque* es el yo, la personalidad humana que piensa, siente, planea y escoge. Según un dicho similar preservado por Lucas, Jesús simplemente usó el pronombre reflexivo y habló de que el hombre se perdiera 'a sí mismo'. El hombre que se entrega a Cristo consecuentemente, se pierde. Pero esto no significa que pierde su individualidad. Por el contrario, como veremos más adelante, cuando el cristiano se pierde a sí mismo, se encuentra, descubre su verdadera identidad.

Cuando el cristiano se pierde a sí mismo, luego, al encontrarse, descubre su verdadera identidad.

En conclusión, para seguir a Cristo tenemos que negarnos a nosotros mismos, crucificarnos y perdernos. Así se plantea en toda su desnudez la exigencia de Cristo, plena e inexorable. No nos llama a una entrega a medias, tibia y desganada, sino a una entrega absoluta y vigorosa. Nos llama para establecerse como nuestro Señor.

Actualmente en ciertos círculos se ha puesto de moda la sorprendente idea de que es posible gozar de los beneficios de la salvación que Cristo ofrece, sin aceptar las exigencias de su señorío soberano. El Nuevo Testamento no contiene tal noción desequilibrada. 'Jesús es el Señor' es la formulación más temprana del credo cristiano. En tiempos en que la Roma imperial presionaba a los ciudadanos a declarar 'César es el señor', la confesión cristiana resultaba peligrosa. Pero los cristianos no titubearon. No podían ofrecer al César su lealtad máxima, puesto que ya se la habían dado al Emperador Jesús. Dios había exaltado a su hijo Jesús por encima de todo principado y potestad y lo había investido con un rango superior a todo otro, a fin de que se doble toda rodilla y 'todos reconozcan que Jesucristo es Señor, para gloria de Dios Padre' (Filipenses 2.11).

Reconocer a Cristo como Señor es colocar cada área de nuestra vida pública y privada bajo su control.

Reconocer a Cristo como Señor es colocar cada área de nuestra vida pública y privada bajo su control. Esto incluye nuestra *profesión*. Dios tiene un propósito para cada vida. Nuestra obligación es descubrirlo y realizarlo. El plan de Dios puede ser distinto al plan que tengan nuestros padres o tengamos nosotros mismos. Si el cristiano es sensato, no hará nada al apuro o descabellado. Es posible que ya esté comprometido en la tarea que Dios quiere que haga, o esté preparándose para ella. Pero tal vez no. Si Cristo es nuestro Señor, debemos estar dispuestos a un cambio, si fuere necesario.

Lo cierto es que Dios llama a cada cristiano a un 'ministerio', es decir al servicio, a ser siervo de otros por causa de Cristo. El cristiano ya no puede vivir para sí mismo. No está claro en qué forma ha de tomar este servicio. Podría ser el ministerio oficial de la iglesia o algún otro tipo de trabajo eclesiástico en el propio país o en el exterior. Pero es un gran error suponer que todo cristiano que toma en serio su entrega está llamado a 'la obra'. Hay muchas formas de servicio que pueden llamarse o describirse como 'ministerio cristiano'.

Por ejemplo, el llamado de una mujer a ser esposa y madre es un llamado al 'ministerio cristiano' puesto que así servirá a Cristo, a su familia y a la comunidad. Esto se aplica a todo tipo de trabajo —la medicina, la investigación, las leyes, la educación, el servicio social, la política, la industria, los negocios y el comercio— en el cual el trabajador se dé a sí mismo como un colaborador de Dios en el servicio al hombre.

No te apures demasiado en descubrir la voluntad de Dios para tu vida. Si te has rendido a él y esperas que él te muestre el camino, él te la dará a conocer a su debido tiempo. Cualquiera sean las circunstancias, el cristiano no puede permanecer ocioso. Sea como jefe, como empleado, como profesional o como obrero autónomo, tiene un Amo celestial. Aprende a ver el propósito de Dios en su trabajo y cualquier cosa que haga, la hace de buena gana 'como al Señor y no a los hombres' (Efesios 6.7, RVR).

Otra área de la vida que también debemos colocar bajo el dominio de Jesucristo es nuestro *matrimonio* y nuestro *hogar*. Jesús dijo en cierta ocasión: 'No crean que yo he venido a traer paz al mundo; no he venido a traer paz, sino guerra' (Mateo 10.34). Siguió hablando del choque de lealtades que a veces surge en el seno de la familia cuando uno de sus miembros comienza a seguirlo.

Tales conflictos familiares se producen todavía en nuestro tiempo. El cristiano nunca debe provocarlos. Tiene el deber de amar y honrar a sus padres y a los otros miembros de la familia. Está llamado a ser un pacificador y por lo tanto, debe ceder en cuanto sea posible sin comprometer su deber para con Dios. Pero nunca puede olvidar las palabras de Cristo: 'El que quiere a su padre o a su madre ... a su hijo o a su hija más que a mí, no merece ser mío' (Mateo 10.37).

Además, el cristiano sólo tiene libertad para casarse con una persona creyente. La Biblia es bien clara al respecto: 'No se unan ustedes en un mismo yugo con los que no creen' (2 Corintios 6.14). Este mandamiento puede traer gran angustia a quien ya esté comprometido para contraer matrimonio, o a punto de hacerlo; pero hay que encarar el hecho honradamente. El matrimonio no es meramente una conveniente costumbre social. Es una institución divina. Y la relación matrimonial es la relación humana más íntima y profunda. Dios ha dispuesto que sea una unión íntima, no sólo desde el punto de vista espiritual. El cristiano o la cristiana que se casa con una persona con quien no puede ser 'uno' espiritualmente, no sólo desobedece a Dios sino que no alcanza la plenitud de la unión matrimonial. Además pone a sus hijos en una situación de riesgo con un conflicto religioso en el seno de su propio hogar, e imposibilita la educación cristiana que deben recibir por parte de ambos padres.

En efecto, la conversión cristiana es tan radical que es probable que toda nuestra actitud hacia el matrimonio y hacia las relaciones entre los sexos cambie drásticamente. Comenzamos a ver la sexualidad misma —la distinción fundamental entre el hombre y la mujer y la necesidad que cada uno tiene del otro— como la creación de Dios. Y el sexo —la expresión física de la sexualidad— en vez de ser rebajado irresponsablemente al nivel de lo casual e impersonal, se convierte en aquello que el Creador quiso que fuera: algo bueno y hermoso; la expresión del amor, una realización del propósito de Dios y de la personalidad humana.

El *dinero* y el tiempo son igualmente aspectos que antes se consideraban como asuntos privados pero que, cuando nos entregamos a él, se colocan bajo la soberanía de Jesucristo. Jesús habló a menudo acerca del dinero y del peligro de las riquezas. Muchas de sus enseñanzas al respecto son sumamente perturbadoras. A veces da la impresión de haber recomendado a sus discípulos deshacerse de su capital y regalarlo todo. Es indudable que hoy a ciertos discípulos les pide eso. Pero para la mayoría el mandamiento significa un desprendimiento interior más que una renuncia literal. El Nuevo Testamento no da la idea de que las posesiones de por sí sean pecaminosas.

Ciertamente enseñó que debemos ponerlo a él por encima de las posesiones materiales así como por encima de las relaciones familiares. No podemos servir a Dios y a las riquezas. Además, tenemos que tomar conciencia del uso que hacemos de nuestro dinero. Este ya no nos pertenece: nos ha sido encargado para que lo administremos. Y en una época en que la brecha entre la riqueza y la pobreza sigue creciendo en todo el mundo, y en que la misión cristiana sufre contratiempos debido a la falta de fondos, debemos ser generosos y disciplinados en la mayordomía de nuestras posesiones.

Hoy el *tiempo* se ha convertido en un problema para cada ser humano, y el cristiano recientemente convertido indudablemente tendrá que reajustar sus prioridades. Para el que estudia, el trabajo académico tendrá que ocupar uno de los primeros lugares en la lista. El cristiano debe destacarse siempre por su laboriosidad y honradez. Pero también tendrá que darse tiempo para nuevas actividades. Tendrá que encontrar tiempo dentro de su ocupado horario para la lectura bíblica y la oración, para guardar el domingo como el día del Señor instituido para la adoración y el descanso, para la comunión con otros cristianos, para la lectura de literatura cristiana y para realizar algún tipo de servicio en la iglesia y en la comunidad.

Todo esto está incluido en la exigencia del Señor de que nos olvidemos de nosotros mismos y lo sigamos.

El llamado a confesar a Cristo

El mandato no es sólo que sigamos a Cristo en privado, sino que lo confesemos públicamente. Es inútil que nos neguemos a nosotros mismos en secreto si a la vez negamos a Cristo delante de los demás. Él dijo:

> Si alguno se avergüenza de mí y de mi mensaje delante de esta gente infiel y pecadora, también el Hijo del hombre se avergonzará de él cuando venga con la gloria de su Padre y con los santos ángeles.
>
> Marcos 8.38

> Si alguien se declara a mi favor delante de los hombres, yo también me declararé a favor de él delante de mi Padre que está en el cielo; pero al que me niegue delante de los hombres, yo también lo negaré delante de mi Padre que está en el cielo.
>
> Mateo 10.32–33

Ahora bien, el mismo hecho de que Jesús dijera que no debemos avergonzarnos de él demuestra que sabía que seríamos tentados a hacerlo, y el hecho de que añadiera 'delante de esta gente infiel y pecadora' apunta a la razón de la posible negación. Evidentemente vio que su iglesia sería una minoría y hay que tener valor para aislarse con los pocos contra los muchos, especialmente si los pocos no gozan de popularidad y uno no se siente naturalmente atraído hacia ellos. Sin embargo, no se puede evitar una confesión abierta de Jesucristo. Según Pablo esta es la condición para la salvación. Para obtener la salvación —dijo— no basta que creamos en nuestro fuero interno: es necesario confesar con nuestros labios que Jesús es el Señor puesto que 'con el corazón se cree para alcanzar la justicia, y con la boca se reconoce a Jesucristo para alcanzar la salvación' (Romanos 10.10). El apóstol puede haber querido referirse al bautismo. Y, si aun no ha sido bautizado, el creyente debe bautizarse, en parte para recibir, por medio de la aplicación del agua, una señal —un sello visible— de su limpieza interior y su nueva vida en Cristo, y en parte para reconocer públicamente que ha confiado en Jesucristo como su Salvador.

Pero la confesión pública del cristiano no termina con su bautismo. Tiene que estar dispuesto a que sus familiares y amigos sepan que es cristiano, especialmente por la vida que lleva. Esto lo conducirá a una oportunidad para el testimonio hablado aunque, cuando ésta se presente, tendrá que ser humilde y honrado y no entrometerse disparatadamente en la vida privada de sus semejantes. Al mismo tiempo, se unirá a alguna iglesia local, se asociará con otros cristianos en su escuela o lugar de trabajo y no temerá reconocer su compromiso con Jesucristo cuando se lo desafíe a hacerlo, y comenzará a tratar de ganar a sus amigos para Cristo mediante la oración, el ejemplo y su testimonio personal.

Si 'perdemos' la vida por causa de Cristo, realmente alcanzamos nuestra realización personal.

Incentivos

Las exigencias que Jesús propone son difíciles, pero las razones que da son apremiantes. En efecto, para que consideremos seriamente el desafío que nos hace, necesitaremos incentivos muy poderosos.

El primer incentivo es *para nuestro bien.*

> El que quiera salvar su vida, la perderá; pero el que pierda la vida por causa mía y por aceptar el evangelio, la salvará. ¿De qué le sirve al hombre ganar el mundo entero, si pierde la vida? O también, ¿cuánto podrá pagar el hombre por su vida?
>
> Marcos 8.35–37

Hay muchos que temen que, si se entregan a Jesucristo, inevitablemente sufrirán una gran pérdida. Olvidan que Jesús vino al mundo para que tengamos vida y vida en abundancia (Juan 10.10); que su propósito es enriquecernos, no empobrecernos, y que servirle a él es encontrar la verdadera libertad.

Por supuesto, hay pérdidas que tenemos que encarar cuando nos rendimos a Jesucristo. Ya hemos mencionado que tenemos que olvidar el pecado y el egoísmo. Y es posible que perdamos algunos amigos. Pero las compensaciones son tan ricas y satisfactorias que las pérdidas son realmente insignificantes. La sorprendente paradoja de la enseñanza de Cristo y de la experiencia cristiana es ésta: si nos olvidamos de nosotros mismos —si 'perdemos' la vida— por causa de Cristo, realmente alcanzamos nuestra realización personal. La negación de uno mismo resulta en el auto descubrimiento. El vivir para uno mismo es locura y suicidio; el vivir para Dios y para los demás es sabiduría y vida verdadera. Uno ni siquiera comienza a encontrarse a sí mismo si no está dispuesto a perderse en el servicio de Cristo y de sus semejantes.

Para dar fuerza a esta verdad, Jesús colocó a todo el mundo en contraste con la vida del individuo. Luego hizo una pregunta 'comercial', relativa a ganancias y pérdidas. Suponiendo que uno ganara todo el mundo, ¿qué habría ganado realmente si en cambio echara a perder su propia vida? Desde la perspectiva de la más mezquina búsqueda de ventajas personales, Jesús estaba argumentando que seguirle a él es sin duda *un buen negocio*, puesto que seguirle a él es encontrarnos, mientras que reservarnos para nosotros mismos y resistirnos a seguirlo es perdernos y vernos privados de nuestro destino eterno, no obstante las ganancias materiales que hayamos ganado mientras tanto. ¿Por qué? Vemos, en primer lugar, porque nadie puede ganar todo el mundo. En segundo lugar, porque si pudiéramos ganarlo, de todos modos lo ganado no duraría. En tercer lugar, porque mientras dura, no da satisfacciones reales. ¿Qué puede dar el hombre a cambio de su vida? ¡Nada tiene tanto valor como para siquiera hacer la oferta! Naturalmente, es difícil ser cristiano; pero más cuesta no serlo, porque cuesta toda una vida que se pierde.

Naturalmente, es difícil ser cristiano; pero más cuesta no serlo, porque cuesta toda una vida que se pierde.

El segundo incentivo para la entrega cristiana es *el bien de los demás*. No debemos someternos a Cristo únicamente por provecho personal, sino también por el bien que esto significa para otros. 'El que pierda su vida por causa de mí y *del evangelio*, la salvará' (Marcos 8.35, RVR). 'Por causa … del evangelio' significa 'por razón de proclamarlo a otros'. Ya hemos escuchado que no debemos avergonzarnos de Cristo y de sus palabras; ahora nos dice que debemos sentirnos tan orgullosos de él que deseemos comunicar su evangelio a otros.

La gran tragedia del mundo en que vivimos nos deprime. Nuestra propia supervivencia está en peligro. Un ciudadano común a menudo siente que es víctima impotente de toda esa maraña que es la política, o una unidad sin rostro en esa inmensa máquina que es la sociedad moderna. Pero el cristiano no tiene por qué sucumbir bajo el peso de su impotencia.

Jesucristo describió a sus seguidores como 'la sal' y 'la luz' para el mundo. Antes que se inventara la refrigeración, la sal era utilizada especialmente para preservar el pescado o la carne. Así, la tarea de los cristianos es evitar que la sociedad se deteriore, ayudando a mantener el nivel moral, a influir en la opinión pública y a mejorar las leyes. Como la luz del mundo los cristianos deben resplandecer en medio de los hombres. Una vez que han encontrado en Jesucristo el secreto de la paz y el amor, de las relaciones personales y la transformación del hombre, deben compartir este secreto con los demás. La mejor contribución que uno puede hacer para suplir a la necesidad del mundo es vivir cristianamente, formar un hogar cristiano e irradiar la luz del evangelio de Jesucristo.

Sin embargo, el mayor incentivo para ser cristiano es *por causa de Cristo*. 'El que pierda su vida por causa de mí ... la salvará.' Cuando se nos pide que hagamos algo muy difícil, nuestra respuesta dependerá en mucho de quien es el que nos lo pide. Si el pedido viene de alguien que posee algún derecho sobre nosotros, y con quien tenemos una deuda, lo haremos con gusto. Por eso el llamado de Cristo es tan elocuente y persuasivo: él nos pide que nos olvidemos de nosotros mismos y lo sigamos *por causa de él*.

Indudablemente, esta es la razón por la que, refiriéndose a la renuncia que él exige, habla de 'tomar la cruz'. No pide más que lo que él mismo dio: pide una cruz por una cruz. Y no debemos seguirle por el provecho que podemos sacar con ello, no por lo que podemos dar si somos sus discípulos, sino fundamentalmente por lo que él dio. Él se dio a sí mismo. ¿Nos costará mucho? A él le costó más. Cuando vino dejó la gloria del Padre, la seguridad del cielo y la adoración de innumerables huestes angelicales. Se humilló al punto que tomó sobre sí la naturaleza humana, nació en un establo y fue puesto en un pesebre, trabajó como carpintero, hizo amigos entre rudos pescadores, murió sobre una cruz vulgar y llevó sobre sí los pecados del mundo.

Sólo la visión de la cruz puede inspirar nuestra voluntad para que nos olvidemos de nosotros mismos y sigamos a Cristo. Nuestras pequeñas crisis serán eclipsadas frente a la de él. Si vislumbramos la grandeza del amor que le llevó a sufrir tanta vergüenza y dolor por nosotros —por nosotros que sólo merecíamos el juicio— no nos queda otro recurso. ¿Cómo podemos negar o rechazar tanto amor?

Si sufres anemia moral, mi consejo es que te alejes del cristianismo. Si quieres vivir una vida fácil y cómoda, hazte cualquier cosa menos cristiano. Pero si quieres una vida de importantes descubrimientos, que satisfaga profundamente la naturaleza que Dios te ha dado; si quieres una vida en la cual disfrutes el privilegio de servir a Dios y a tus semejantes; si quieres una vida que exprese algo de la inmensa gratitud que empiezas a sentir hacia aquel que murió por ti, entonces te invito a que, sin reservas y sin demoras, rindas tu vida a tu Señor y Salvador, Cristo Jesús.

Soneto al crucificado

No me mueve, mi Dios, para quererte
el cielo que me tienes prometido,
ni me mueve el infierno tan temido
para dejar por eso de ofenderte.

Tú me mueves, Señor: muéveme el verte
clavado en una cruz y escarnecido;
muéveme ver tu cuerpo tan herido,
muévenme tus afrentas y tu muerte.

Muéveme, al fin, tu amor, y en tal manera
que, aunque no hubiera cielo, yo te amara,
y aunque no hubiera infierno, te temiera.

No me tienes que dar porque te quiera;
pues aunque lo que espero no esperara,
lo mismo que te quiero te quisiera.[1]

Guía de estudio 9
El costo

Propósito Acompañar a los participantes para que tomen conciencia del costo y de los beneficios de seguir a Cristo.

Preguntas Antes de continuar, cada miembro del grupo puede compartir sus descubrimientos y los desafíos que se le plantearon en el curso del estudio.

1. ¿Advertimos que el desafío de calcular el precio tiene muy poco lugar en la evangelización de hoy? ¿Hay circunstancias cuando el costo del llamado de Cristo debe o puede ser disminuido?

2. El autor dice que 'Jesús nunca ocultó el hecho de que su religión incluía una exigencia a la vez que una oferta' (página 171). ¿Qué demandó Jesús en los siguientes casos: Marcos 1.16–20; Marcos 10.17–22; Lucas 9.57–62?

3. El autor afirma que el arrepentimiento es 'el primer paso en la conversión cristiana' (página 174). ¿Qué significa 'arrepentimiento'? ¿De qué maneras se evidencia el verdadero arrepentimiento?

4. ¿Qué significa 'renunciar al principio mismo de autoafirmación' y 'abdicar al trono de nuestro corazón (página 176)?

5. ¿Por qué están equivocados los que sostienen que para gozar de los beneficios de la salvación que Cristo ofrece no es indispensable aceptar las exigencias de su soberanía como Señor? ¿Qué significa reconocer a Cristo como Señor?

6. ¿Qué consecuencias traerá esta decisión sobre nuestras carreras, nuestras familias, nuestro matrimonio, el uso de nuestro dinero y nuestro tiempo (páginas 178–181)?

7. Si las Escrituras enseñan claramente que un cristiano no debe casarse con un incrédulo, ¿por qué hay tantos hermanos que ignoran este mandamiento?

8. ¿Qué significa 'confesar a Cristo públicamente' (páginas 181–183)? ¿Qué relación hay entre la confesión pública de Cristo y la salvación?

9. ¿Cuáles son los incentivos para reconocer a Jesucristo como el Señor de nuestra vida (páginas 183–186)?

10. Hacer una lista de los motivos concretos por los que podemos orar durante la semana, de acuerdo a lo que aprendimos en este capítulo.

Para el próximo encuentro

1. Leer el capítulo 10 de *Cristianismo básico.*

2. Reflexionar sobre la urgente decisión que plantea el autor.

Para seguir leyendo

La lucha, John White, Certeza Unida, 1993.

Vivir la Palabra de Dios, Waylon B. Moore, Lifeway, 2000.

Jesucristo es el Señor, Jorge Himitian, Vida–Logos, 2002.

10 La decisión

A muchas personas ni siquiera se les ocurre que para ser cristiano tienen que tomar una decisión. Muchos imaginan que son cristianos por el solo hecho de haber nacido en un hogar 'cristiano'. 'Después de todo —dicen— no somos judíos, ni mahometanos, ni budistas. ¡De hecho, entonces, somos cristianos!' Otros suponen que, habiéndose criado en hogares cristianos y habiendo aprendido el credo y las normas cristianas, no hay nada más que se les pueda exigir. La verdad es que, no obstante los padres y la educación que haya tenido, cada adulto tiene la obligación de tomar sus propias decisiones frente a Cristo. Nadie puede permanecer neutral ni ingresar al cristianismo involuntariamente. Tampoco nadie puede decidir por cuenta nuestra. Cada uno tiene que decidir personalmente.

Inclusive no basta estar de acuerdo con todo lo que hasta aquí hemos dicho en este libro. Se puede aceptar que la evidencia de la deidad de Jesús es irrefutable y aun definitiva —y que él es, en efecto, el Hijo de Dios—; se puede creer que él vino para ser el Salvador del mundo; se puede admitir que somos pecadores y que necesitamos a este Salvador. Pero ninguna de estas posiciones, ni todas ellas juntas, nos hacen cristianos. La aceptación de ciertos hechos acerca de la persona y obra de Cristo es un paso preliminar necesario, pero la fe verdadera convierte esta creencia mental en un acto decisivo de confianza. La convicción intelectual debe conducir a una entrega personal.

Yo solía pensar que porque Jesús murió en la cruz ya todo el mundo había quedado automáticamente salvo, mediante una suerte de transacción mecánica. Recuerdo bien lo perplejo, y aun indignado, que me sentí cuando por primera vez se me sugirió que yo necesitaba a Cristo y su salvación personalmente. Doy gracias a Dios que más tarde abrí mis ojos para ver que no me bastaba reconocer mi necesidad de *un* Salvador ni siquiera reconocer que Jesucristo es *el* Salvador que necesitaba: tenía que reconocer a Jesucristo como *mi* Salvador. En efecto, el pronombre personal ocupa un lugar muy importante en la Biblia:

> El Señor es *mi* pastor. Salmo 23.1
>
> El Señor es *mi* luz y *mi* salvación. Salmo 27.1
>
> ¡Dios *mío*, tú eres *mi* Dios! Salmo 63.1
>
> A nada le concedo valor si lo comparo con
> el bien supremo de conocer a Cristo Jesús,
> *mi* Señor. Filipenses 3.8

Hay un versículo en la Biblia que ha ayudado a muchos (inclusive a mí mismo) a comprender el paso de fe que es necesario dar. Contiene las palabras de Cristo mismo: 'Mira, yo estoy llamando a la puerta; si alguien oye mi voz y abre la puerta, entraré en su casa y cenaremos juntos' (Apocalipsis 3.20). Holman Hunt, el conocido pintor de la escuela pre-rafaelista, ilustró esta escena en su cuadro 'La luz del mundo', pintado en 1853. El original se encuentra en la capilla del colegio Keble (en la Universidad de Oxford) y la copia que el mismo artista pintó cuarenta años después está en la Catedral de San Pablo, en Londres. Aunque los pre-rafaelistas han pasado, el simbolismo de este cuadro mantiene su vigencia. John Ruskin, en una carta escrita en mayo de 1854 lo describía en los siguientes términos:

> ... En el lado izquierdo del lienzo puede verse la puerta del alma humana. Está bien cerrada; los barrotes y clavos están herrumbrados, y toda la puerta parece estar atada a los montantes por una enredadera, mostrando aquí que nunca ha sido abierta. Un murciélago revolotea en las cercanías; el umbral se halla cubierto por zarzas, malezas y trigo improductivo ... Cristo se aproxima a la puerta de noche ...

Cristo viste un manto real y lleva en la cabeza una corona de espinas. En la mano izquierda porta una linterna (porque él es la luz del mundo) mientras que con la derecha golpea la puerta.

El contexto arroja luz sobre el versículo. Este aparece al final de una carta que Cristo, por medio de Juan, dirige a la iglesia de Laodicea, situada en territorio de lo que hoy es Turquía. Laodicea era una ciudad próspera, reconocida por su manufactura de tejidos, su escuela médica (donde se hacía el famoso colirio frigio en polvo) y sus fuertes casas bancarias.

La prosperidad material habría traído como consecuencia un espíritu de satisfacción y orgullo que con el tiempo penetró en la iglesia cristiana. Entre los miembros de ésta había cristianos profesantes que lo eran de nombre solamente. Eran personas más o menos respetables, pero nada más. Su interés religioso era superficial y casual. Como el agua que se sacaba de las fuentes de Hierápolis y se llevaba a Laodicea por medio de canales (de los cuales todavía se pueden ver las ruinas), eran —según Jesús— ni fríos ni calientes, sino tibios y por lo tanto de mal sabor para él. Su tibieza espiritual parece haber sido consecuencia de un autoengaño: 'Pues tú dices que eres rico, que te ha ido muy bien y que no te hace falta nada; y no te das cuenta de que eres un desdichado, miserable, pobre, ciego y desnudo' (Apocalipsis 3.17).

¡Qué descripción de la orgullosa y próspera Laodicea! Estaban ciegos, pobres y desnudos —desnudos a pesar de la fábrica de tejidos, ciegos a pesar del colirio frigio y pobres a pesar de las casas bancarias.

Nosotros estamos en la misma situación. Tal vez digamos como ellos: 'No tengo necesidad de nada.' Es difícil encontrar palabras más peligrosas desde un punto de vista espiritual. Nuestra independencia autosuficiente, más que ninguna otra cosa, impide que nos entreguemos a Cristo. ¡Es claro que lo necesitamos! Sin él estamos desnudos moralmente (sin vestiduras para presentarnos delante de Dios), ciegos a la verdad espiritual, y pobres (sin nada para comprar el favor de Dios). Sólo Cristo puede vestirnos con su justicia, y dar visión a nuestros ojos y enriquecernos con su riqueza espiritual. Aparte de él, y hasta que abramos la puerta para recibirlo somos ciegos, pobres y desnudos.

Nuestra independencia autosuficiente, más que ninguna otra cosa, impide que nos entreguemos a Cristo.

'Mira, yo estoy a la puerta llamando', dice. No es una visión de la imaginación ni un personaje ficticio de una novela religiosa. Es el hombre de Nazaret, cuyas pretensiones, cuyo carácter y cuya resurrección apoyan la conclusión de que es el Hijo de Dios. Es además el Salvador crucificado. La mano que llama a la puerta es una mano herida. Los pies que pisan el umbral tienen las marcas de los clavos.

Él es el Cristo resucitado. Juan lo ha descrito ya en el primer capítulo del Apocalipsis, tal como lo vio en una visión altamente simbólica. Dice que sus ojos eran como llamas de fuego y sus pies brillaban como bronce pulido fundido en un horno. Su voz era fuerte como las olas cuando se estrellan contra la roca y su rostro radiante como el sol cuando brilla con toda su fuerza. No es de sorprenderse que Juan cayera a sus pies. Es difícil comprender cómo una persona tan majestuosa tuviera a bien visitar a pobres, ciegos y desnudos como nosotros.

Sin embargo, Jesucristo dice que está llamando a la puerta de nuestra vida, esperando que le abramos. Notemos que golpea la puerta, no la empuja; habla, no grita. ¡Aunque podría abrirla! ¡De todos modos la casa es suya! Él es el arquitecto: la diseñó. Él es el constructor: la hizo. Él es el dueño: la compró con su propia sangre. Es, pues, suya por derecho del plano, de la construcción y de la compra. Nosotros sólo somos inquilinos de una casa que no nos pertenece. Él podría poner el hombro contra la puerta, pero prefiere poner la mano en el llamador. Podría ordenarnos que abriéramos la puerta, pero se limita a invitarnos a hacerlo. No fuerza la entrada a la vida de nadie. Dice: 'te aconsejo …' (versículo 18). Podría dar órdenes, pero prefiere aconsejar. Así es su humildad y condescendencia, y la libertad que nos ha dado.

Pero ¿por qué quiere Jesucristo entrar? Ya conocemos la respuesta. Quiere ser nuestro Salvador y Señor.

Murió para ser nuestro Salvador. Si lo recibimos, entonces podrá aplicar a nuestra propia vida los beneficios de su muerte. Entrará en la casa, la renovará, la pintará y la amueblará. En otras palabras, nos limpiará y nos perdonará, olvidando nuestro pasado. Además, promete cenar con nosotros y permitirnos quedar con él. La frase describe el gozo del compañerismo. No solamente él se nos da a nosotros, sino que desea que nosotros nos demos a él. Hemos sido extraños: ahora somos amigos. Hemos estado separados por una puerta cerrada: ahora estamos sentados a la misma mesa.

Jesucristo entrará también como nuestro Señor y Maestro. La casa de nuestra vida quedará bajo su administración, y no vale la pena que le abramos la puerta si no estamos dispuestos a que así sea. Cuando cruce el umbral de la puerta, tendremos que entregarle todo el llavero de modo que tenga libre acceso a todas las habitaciones. Un estudiante canadiense de cuarto año me escribió en cierta ocasión: 'En vez de dar a Cristo un manojo de llaves diferentes para las muchas habitaciones de mi casa … le di mi llave maestra para que entre a todas ellas.'

Esto incluye el arrepentimiento, apartarnos resueltamente de todo aquello que sabemos que le desagrada. Esto no significa tratar de mejorarnos antes de invitarlo a entrar. Todo lo contrario: porque no podemos perdonarnos ni mejorarnos a nosotros mismos necesitamos que él venga a nosotros. Pero tenemos que estar dispuestos a que él haga los arreglos que desee una vez que haya entrado en nuestra vida. No puede haber ninguna resistencia, ningún intento de estudiar los términos de nuestro rendimiento. ¿Qué significa todo esto? No puedo detallarlo, pero en principio significa la determinación de abandonar toda clase de mal para seguir a Cristo.

Es mucho más razonable entregarnos a Cristo, el Hijo de Dios, que al más noble y generoso de todos los seres humanos.

¿Vacilas? ¿Dices que es irracional rendirse a Cristo en la oscuridad? En realidad, no lo es. ¡Es mucho más razonable que el matrimonio! En el matrimonio, un hombre y una mujer se entregan mutuamente sin ninguna condición. No saben ni siquiera lo que los separa. Pero se aman mutuamente y el uno confía en el otro. Así, se prometen tomarse mutuamente 'para tenerte desde hoy en adelante, sea que mejore o empeore tu suerte, seas más rico o más pobre, en tiempo de enfermedad o de salud, para amarte y consolarte hasta que la muerte nos separe'. Si los seres humanos pueden confiar en otros seres humanos, ¿no podemos confiar en el Hijo de Dios? Es mucho más razonable entregarse a Cristo, el Hijo de Dios, que al más noble y generoso de todos los seres humanos. Cristo jamás traicionará o abusará de la confianza que depositamos en él.

¿Qué debemos, entonces, hacer? Para empezar, debemos escuchar su voz. Lamentablemente es posible cerrar el oído al llamado de Cristo y ahogar el insistente susurro de su invitación. A veces su voz nos llega por medio del aguijón de la conciencia, a veces por los planteos de la mente. O tal vez una derrota moral, o el aparente vacío y falta de sentido de nuestra existencia, o un hambre espiritual inexplicable, o una enfermedad, o el dolor causado por un fallecimiento, o algún sufrimiento o temor nos muestren que Cristo está a la puerta y nos llama. O su voz puede hacerse oír por medio de un amigo, un predicador o un libro. Cualquiera sea el medio, debemos escucharlo. 'El que tiene oídos —dice Jesús— oiga.'

Luego tenemos que abrir la puerta. Habiendo escuchado su voz, debemos abrir cuando golpea. El acto de abrir la puerta a Jesucristo es un acto de fe en él como nuestro Salvador, un acto de sometimiento a él como nuestro Señor.

Es un acto definido. El tiempo del verbo en el texto griego lo indica claramente. La puerta no se abre de par en par por casualidad. No está entreabierta, está cerrada y es necesario abrirla. Además, Cristo no la abrirá por su propia cuenta. En el cuadro de Hunt la puerta no tiene picaporte. Se dice que el pintor lo omitió deliberadamente para mostrar que la puerta podría abrirse solamente desde adentro. Cristo llama: nosotros debemos abrir.

Es un acto personal. Es cierto que el mensaje fue enviado a una iglesia: a la nominal y tibia iglesia de Laodicea. Pero el desafío se dirige a los miembros de la congregación en forma individual: '… si alguien oye mi voz y abre la puerta, entraré en su casa.' Cada persona tiene que hacer su propia decisión y tiene que hacerla por cuenta propia. Nadie puede decidir por tí, estimado lector. Tus padres, maestros, pastores y amigos cristianos pueden indicarte el camino, pero sólo tu mano puede girar el picaporte y abrir la puerta.

Es un acto único. Sólo puedes dar este paso una vez. Cuando Cristo haya entrado, él cerrará la puerta por dentro. Puede ser que el pecado lo empuje hacia el sótano o el altillo, pero nunca dejará del todo la casa que ha ocupado. 'Nunca te dejaré ni te abandonaré', dice (Hebreos 13.5). ¡Esto no quiere decir que surgirás de esta experiencia con las alas de un ángel completamente desarrolladas! Ni tampoco alcanzarás la perfección en un abrir y cerrar de ojos. Puedes hacerte cristiano en un momento, pero no un cristiano maduro y perfeccionado. Cristo puede penetrar en tu vida, limpiarte y perdonarte en cuestión de un segundo, pero para que tu carácter sea transformado y modelado según su voluntad, será necesario mucho más tiempo. Una pareja puede casarse en cuestión de unos minutos, pero para que dos voluntades se fusionen en una en medio del ajetreo de la vida diaria, se requerirán varios años. Así también, cuando recibimos a Cristo, un momento de entrega conducirá a toda una vida de ajustes.

Su mano está sobre el llamador; tu mano debe ahora tomar el picaporte.

Es un acto deliberado. No tienes que esperar que te alumbre un rayo de luz sobrenatural procedente del cielo o una experiencia fuertemente emotiva. No. Cristo vino al mundo y murió por tus pecados. Ahora viene y se para frente a la puerta de tu vida y llama. El próximo movimiento tienes que hacerlo tú. Su mano está sobre el llamador; tu mano debe ahora tomar el picaporte.

Es un acto urgente. No debes esperar más de lo necesario. El tiempo transcurre. El futuro es incierto. Tal vez nunca más tengas la oportunidad de hacer lo que debas hacer. 'No presumas del día de mañana, pues no sabes lo que el mañana traerá' (Proverbios 27.1). Por eso, como dice el Espíritu Santo en la Escritura: 'Si hoy escuchan ustedes lo que Dios dice, no endurezcan su corazón ...' (Hebreos 3.7–8). No lo postergues con la intención de ser mejor o más digno de que Cristo entre en tu vida, o hasta que hayas solucionado todos tus problemas. Si crees que Jesucristo es el Hijo de Dios y que él murió para ser tu Salvador, eso basta. Lo demás vendrá después. Es cierto que la acción precipitada encierra sus peligros, pero también los encierra la demora. Si en lo más profundo de tu corazón sabes que debes actuar, entonces no postergues la decisión ni un momento más.

Es un acto *indispensable*. Por supuesto, la vida cristiana consiste en mucho más que esto. Como veremos en el capítulo siguiente, la vida cristiana incluye la comunión de la iglesia, el descubrimiento y la realización de la voluntad de Dios, el crecimiento en la gracia y el entendimiento, y la preocupación por servir a Dios y al prójimo. Pero éste es el primer paso y nada lo puede sustituir. Puedes creer en Cristo intelectualmente y admirarlo; puedes decir tus oraciones a través de la puerta cerrada (yo lo hice por muchos años); puedes echarle unas monedas por debajo de la puerta para tranquilizarlo; puedes ser una persona moral, decente, recta y buena; puedes ser una persona religiosa; puedes haber sido bautizado y confirmado; puedes ser un estudiante de teología y hasta pastor ordenado ... —y, con todo, no haber abierto la puerta a Cristo. No hay nada que sustituya a este paso.

Un profesor universitario describe en su autobiografía un día cuando, mientras viajaba en un ómnibus, de pronto:

> Sin palabras y (creo) casi sin imágenes, de alguna manera se me presentó un hecho respecto a mí mismo. Me di cuenta que estaba negándome a algo, cerrándole la puerta a algo. O, si se prefiere, que, a la manera de una langosta, estaba usando algo tieso, como un corsé o hasta como una armadura. Sentí que en ese momento se me estaba dando la libertad de elegir. Podía abrir la puerta o mantenerla cerrada, deshacerme de la armadura o conservarla. Ninguna alternativa se me presentó como un deber: no había amenaza ni promesa vinculada a ninguna de las alternativas, aunque yo sabía que el abrir la puerta o el sacarme la armadura tendría consecuencias incalculables ... Escogí abrir, desarmarme, aflojar la rienda. Digo 'que escogí' y sin embargo no me parecía realmente posible hacer lo opuesto.

Así describe su experiencia el profesor C. S. Lewis en *Sorprendido por la alegría*.

Una dama de alcurnia respondió a la invitación a pasar adelante al final de una reunión de evangelización. Fue presentada a un consejero quien, habiendo comprobado que la dama todavía no había entregado su vida a Cristo, le sugirió que orara allí mismo en ese momento. Inclinando la cabeza, ella dijo: 'Amado Señor Jesús, más que ninguna otra cosa en el mundo quiero que entres en mi corazón. Amén.'

Un joven de casi veinte años se arrodilló junto a su cama un domingo por la noche, en el dormitorio del internado donde estudiaba. Sencillamente, sin vuelta ni rodeos pero de manera definida, le dijo a Cristo que hasta entonces su vida había sido un desastre; le confesó sus pecados; agradeció a Cristo por haber muerto por él, y allí mismo le pidió que entrara en su vida. Al día siguiente escribió en su diario:

> Ayer fue realmente un gran día para mí … Hasta ahora Cristo había estado en la circunferencia de mi vida y yo sólo le pedía que me guiara, en lugar de darle el control completo de ella. Él está a la puerta y llama. Lo escuché y ha entrado a mi casa. La ha limpiado y ahora reina en ella …

Al otro día escribió:

> Realmente hoy he sentido un gozo inmenso y nuevo. Es el gozo de estar en paz con el mundo y en comunión con Dios. ¡Qué bien sé ahora que él me gobierna y que antes nunca lo había conocido de verdad! …

Estos extractos pertenecen a mi propio diario. Me aventuro a citarlos porque no quiero que tú creas que estoy recomendándote dar un paso que yo mismo no he dado antes.

¿Eres cristiano? ¿Un cristiano verdadero? Tu respuesta depende de otra pregunta —y no es si vas o no a la iglesia, si aceptas o no el credo, si tienes o no una vida decente (aunque todas estas cosas tienen su importancia a su debido tiempo), sino más bien de esto: ¿De cuál lado de tu puerta está Jesucristo? ¿Está adentro o afuera? Ese es el problema capital.

Tal vez estés listo a abrirle la puerta a Cristo. Si no estás seguro de haberlo hecho antes, mi consejo es que te asegures, aunque lo que hagas no sea más que —como alguien ha dicho— repasar con tinta lo que ya habías escrito con lápiz.

Te aconsejo que vayas a un lugar donde puedas orar a solas. Confiesa tus pecados a Dios y abandónalos. Agradece a Jesucristo por haber muerto por ti, en tu lugar. Luego ábrele la puerta y pídele que entre como tu Salvador y Señor.

Podría ser de ayuda hacerle eco a esta oración en tu corazón:

> ***Señor Jesucristo, reconozco que he seguido mi propio camino. He pecado en pensamiento, palabra y acción. Lamento mis muchos pecados y los abandono, arrepentido.***
>
> ***Creo que tú moriste por mí, llevando mis pecados sobre tu cuerpo. Te agradezco por tu inmenso amor.***
>
> ***Ahora abro la puerta. Entra, Señor Jesús. Entra como mi Salvador y límpiame. Entra como mi Señor y gobierna mi vida. Y yo te serviré con la fuerza que tú me des, toda mi vida. Amén.***

Si has hecho esta oración de todo corazón, agradece a Cristo humildemente porque él ha entrado en tu vida. Él dijo que lo haría. Ha comprometido su palabra. 'Si alguien oye mi voz y abre la puerta, *entraré en su casa* ...' No hagas caso de tus sentimientos: confía en su promesa y agradécele por haber cumplido su promesa.

Guía de estudio 10
La decisión

Propósito Enfrentar a los miembros del grupo con la necesidad de una decisión personal por Jesucristo.

Preguntas **1.** ¿Están todos los integrantes del grupo de acuerdo con el autor en que para ser cristiano es necesario hacer una decisión personal? ¿Por qué es necesario?

2. El autor toma Apocalipsis 3.20 como base de este capítulo: 'Mira, yo estoy a la puerta llamando; si alguien oye mi voz y abre la puerta, entraré en su casa y cenaré con él, y él conmigo.' ¿Qué nos aclara el contexto histórico de la ciudad de Laodicea (página 193–194) sobre este versículo? ¿Por qué quiere Jesucristo entrar (páginas 195–196)?

3. ¿Qué se le puede responder a la persona que dice: 'No recibiré a Cristo hoy sino mañana'? Hacer una lista de las principales razones que habitualmente se esgrimen para demorar el abrir la puerta a Cristo.

4. ¿Hasta qué punto la decisión de aceptar a Cristo es un salto en la oscuridad? ¿En qué sentidos se asemeja al matrimonio (página 196)?

5. ¿Qué quiere decir Stott cuando afirma que el abrir la puerta de nuestro corazón es un acto definido, personal, único, deliberado, urgente e indispensable (páginas 197–199)?

6. ¿Hemos abierto la puerta de nuestro corazón a Cristo? ¿Cómo describiríamos los antecedentes, el acto de decisión y sus efectos inmediatos?

Pasar un momento de oración en grupo.

Para el próximo encuentro

1. Leer el capítulo 11 de *Cristianismo básico.*

2. Anotar las luchas más fuertes que se te han presentado luego de decidirte por Cristo. ¿Qué cosas te han ayudado a seguir adelante?

Para seguir leyendo

Un llamamiento a la renovación espiritual, Donald Carson, Andamio, 1994.

Atrévete a ser santo: Una relación de intimidad con Dios, John White, Certeza Argentina, 2005.

Sobre la roca, John Stott, Certeza Unida, 2000.

Cómo llegar a ser cristiano, John Stott, Certeza Argentina, 1993.

11 Ser cristiano

Este capítulo ha sido escrito para aquellos que han abierto la puerta de su vida a Jesucristo. Se han entregado a él. Ha comenzado así la vida cristiana. Porque *llegar a ser* cristiano es una cosa; *ser cristiano*, es otra. Por eso ahora vamos a ocuparnos de qué significa ser cristiano.

El paso que diste fue sencillo: invitaste a Cristo a que entrara a tu vida como tu Salvador y Señor. En ese momento sucedió algo que sólo puede describirse como un milagro. Dios —sin cuya gracia no hubieras podido arrepentirte ni creer— te dio una vida nueva. Naciste de nuevo. Fuiste hecho hijo de Dios e ingresaste a su familia. Tal vez no estés consciente de lo que sucedía así como no estuviste consciente de tu nacimiento físico. La auto conciencia —el darse cuenta de qué y quién es uno— es parte del desarrollo personal. Sin embargo, cuando naciste surgiste como una personalidad independiente; así también cuando naciste de nuevo fuiste formado espiritualmente como una nueva criatura en Cristo.

Pero, podrás preguntarte, ¿no es Dios padre de todas las personas? ¿No son todos los hombres hijos de Dios? ¡Sí y no! Ciertamente Dios es el Creador de todos los hombres y consecuentemente todos son su 'linaje' (Hechos 17.28, RVR, 'descendientes', DHH), en el sentido de que derivan de él su existencia. Pero la Biblia claramente distingue entre esta relación general de Dios con la raza humana

Cuando naciste de nuevo fuiste formado espiritualmente como una nueva criatura en Cristo.

—la relación del Creador y sus criaturas— y la relación especial de Padre a hijo que él establece con quienes pertenecen a su nueva creación por medio de Jesucristo. Juan explica en el prólogo de su Evangelio cuando escribe:

> Vino [Jesús] a su propio mundo, pero los suyos no lo recibieron. Pero a quienes lo recibieron y creyeron en él, les concedió el privilegio de llegar a ser hijos de Dios. Y son hijos de Dios, no por la naturaleza ni los deseos humanos, sino porque Dios los ha engendrado. Juan 1.11–13

Los hijos de Dios son los que han nacido de Dios; los que han nacido de Dios son los que han recibido a Cristo en su vida y han creído en su nombre.

¿Qué significa, entonces, ser 'hijo de Dios' en este sentido? Como en cualquier otra familia, los miembros de la familia de Dios tienen sus privilegios y responsabilidades. Debemos examinarlos.

Privilegios cristianos

El privilegio singular de la persona que ha nacido de nuevo en la familia de Dios consiste en su relación con Dios. Consideremos la misma desde esta perspectiva.

Una relación íntima

Ya vimos antes que nuestros pecados nos tenían separados de Dios, se habían transformado en una barrera entre nosotros. En otras palabras, estábamos bajo la justa condenación del Juez de toda la tierra. Pero ahora, por medio de Jesucristo que llevó nuestra condenación y a quien estamos unidos por la fe, hemos sido 'justificados', es decir, aceptados por Dios y declarados justos. Nuestro Juez ha pasado a ser nuestro Padre.

'Miren cuánto nos ama Dios el Padre, que se nos puede llamar hijos de Dios, y lo somos', escribe Juan (1 Juan 3.1). 'Padre' e 'Hijo' son los títulos distintivos que Jesús usó para referirse a Dios y a sí mismo respectivamente. ¡Y son, exactamente, los nombres que nos permite usar a nosotros! En virtud de nuestra unión con él, se nos permite compartir algo de su íntima relación con el Padre. Cipriano, obispo de Cartago a mediados del siglo III de nuestra era, expresa muy bien nuestro privilegio, cuando refiriéndose al Padrenuestro, dice:

> ¡Cuán grande es la indulgencia del Señor! ¡Cuán grandes son su condescendencia y la abundancia de su bondad hacia nosotros, cuando vemos que desea que oremos delante de Dios de tal manera que llamemos a Dios Padre, y que nos llamemos hijos de Dios, así como Cristo es el Hijo de Dios —un nombre que ninguno de nosotros se hubiera atrevido a usar en la oración, si no fuese porque el Señor mismo nos ha permitido orar así!

Ahora por fin podemos orar el Padrenuestro sin hipocresía. Antes esa oración tenía un sonido hueco: ahora tiene un significado nuevo y noble. Dios es en realidad nuestro Padre celestial, que conoce nuestras necesidades antes de que pidamos, y que no dejará de dar cosas buenas a sus hijos (Mateo 6.7–13; 7.7–12).

Puede ser que a veces necesitemos la corrección de su mano, puesto que 'el Señor corrige a quien él ama, y castiga a aquel a quien recibe como hijo' (Hebreo 12.6, Proverbios 3.12). Pero esto es porque ahora Dios nos trata como a hijos y nos disciplina para nuestro bien. Con un padre así, amante, sabio y fuerte podemos sentirnos libres de todo temor.

Una relación cierta

La relación que el cristiano guarda con Dios, como la del hijo con su padre, no sólo es íntima, sino además segura. ¡Hay tanta gente que a lo sumo tiene esperanza, pero nada más! Pero es posible tener certeza.

En efecto, es más que posible. Es la voluntad de Dios que nos ha sido revelada. Debemos estar seguros de nuestra relación con Dios no sólo para nuestra propia paz mental y para poder ayudar a otros, sino porque Dios quiere nuestra certidumbre. Juan afirma categóricamente que éste es el propósito que lo movió a escribir su primera carta: 'Les escribo esto a ustedes que creen en el Hijo de Dios, para que sepan que tienen vida eterna' (1 Juan 5.13).

Ahora Dios nos trata como a hijos y nos disciplina para nuestro bien.

Sin embargo, la manera de *estar* seguro no es sólo *sentirse* seguro. Casi todos al comenzar su vida cristiana cometen este error. Dependen demasiado de sus sentimientos superficiales. Un día *se sienten* cerca de Dios, al día siguiente *se sienten* lejos de él. Y caen en un frenesí de incertidumbre porque creen que sus sentimientos reflejan exactamente su condición espiritual. Su vida cristiana se convierte en un viaje por cerros y hondonadas, cerros en que alcanzan alturas jubilosas para luego descender a las profundidades de la depresión.

Dios no quiere que sus hijos vivan una experiencia tan irregular. Tenemos que aprender a desconfiar de nuestros sentimientos. Son extremadamente variables. Cambian con el tiempo, con las circunstancias y con nuestra salud. Somos criaturas inconstantes y temperamentales, y a menudo nuestros sentimientos fluctuantes no tienen nada que ver con nuestro progreso espiritual.

La base de nuestro conocimiento de que estamos en relación con Dios no está en nuestros sentimientos, sino en el hecho de que él dice que lo estamos. La prueba que tenemos que aplicar es objetiva, más bien que subjetiva. No debemos ponernos a buscar evidencias de vida espiritual dentro de nosotros mismos, sino mirar hacia arriba, hacia afuera y hacia Dios y su Palabra. Pero, ¿dónde hemos de encontrar las palabras de Dios que nos aseguren que somos sus hijos?

En primer lugar, Dios promete en su Palabra escrita que dará vida eterna a quienes reciban a Jesucristo. 'Este testimonio es que Dios nos ha dado vida eterna, y que esta vida está en su

Hijo. El que tiene al Hijo de Dios, tiene también esta vida; pero el que no tiene al Hijo de Dios, no la tiene' (1 Juan 5.11–12). El creer humildemente que tenemos vida eterna, entonces, no es una presunción. Por el contrario, el creer la Palabra de Dios es humildad, no orgullo; es sabiduría, no presunción. Dudar sería necedad y pecado, ya que 'el que no cree en Dios, lo hace aparecer como mentiroso, porque no cree en el testimonio que Dios ha dado acerca de su Hijo' (1 Juan 5.10).

Ahora bien, la Biblia está llena de las promesas de Dios. El cristiano sensato comienza cuanto antes a atesorarlas en su memoria. Entonces, cuando cae en el hoyo de la depresión y la duda, puede usar las promesas de Dios como un cable para salir a flote.

Vale la pena memorizar los siguientes versículos para empezar. Cada uno contiene una promesa divina.

Cristo nos recibirá si venimos a él.	Juan 6.37
Él nos sostendrá y no dejará que nos escapemos.	Juan 10.28
Nunca nos dejará.	Mateo 28.20, Hebreos 13.5–6
Dios no dejará que seamos tentados más allá de nuestra fortaleza.	1 Corintios 10.13
Nos perdonará si confesamos nuestros pecados.	1 Juan 1.9
Nos dará sabiduría cuando se la pidamos:	Santiago 1.5

En segundo lugar, Dios habla a nuestro corazón. Notemos las siguientes declaraciones: 'Dios ha llenado con su amor nuestro corazón por medio del Espíritu Santo que nos ha dado' (Romanos 5.5). Y luego: 'Por este Espíritu nos dirigimos a Dios diciendo: '¡Abbá! ¡Padre!' Y este mismo Espíritu se une a nuestro espíritu para dar testimonio de que ya somos hijos de

Dios' (Romanos 8.15–16). Todo cristiano sabe lo que eso significa. El testimonio externo del Espíritu Santo en las Escrituras es confirmado por el testimonio interno del Espíritu Santo en la experiencia. No hay lugar para la confianza en sentimientos superficiales y cambiantes. Se trata más bien de esperar la profundización de nuestra convicción a medida que el Espíritu nos asegura del amor de Dios por nosotros y nos exhorta a clamar: '¡Padre!' cuando buscamos el rostro de Dios en oración.

Sólo podemos ser justificados una vez, pero necesitamos ser perdonados cada día.

En tercer lugar, el mismo Espíritu que da testimonio en las Escrituras de que somos hijos de Dios completa su testimonio en nuestro carácter. Si hemos nacido de nuevo en la familia de Dios, entonces el Espíritu de Dios mora en nosotros. En efecto, la presencia del Espíritu Santo es uno de los mayores privilegios de los hijos de Dios. Es su marca distintiva. 'Todos los que son guiados por el Espíritu de Dios, son hijos de Dios' (Romanos 8.14). Otra vez: 'El que no tiene el Espíritu de Cristo, no es de Cristo' (Romanos 8.9). Y él no mora mucho tiempo en nosotros antes de iniciar un cambio en nuestro estilo de vida. En su primera carta, Juan aplica esta prueba sin hacer salvedades. Dice que si alguien persiste en la desobediencia a los mandamientos de Dios y en el incumplimiento de sus deberes para con sus semejantes, entonces no es cristiano, pese a todo lo que diga. La rectitud y el amor son marcas obvias del hijo de Dios.

Una relación segura

Supongamos que hemos entrado en esta relación íntima con Dios y estamos seguros de ella basados en la propia Palabra de Dios. La pregunta ahora es: ¿Es una relación permanente? ¿Será posible nacer en la familia de Dios por un momento y ser repudiados al momento siguiente? La Biblia indica que es una relación permanente. 'Y puesto que somos sus hijos —dice Pablo—, también tendremos parte en la herencia que Dios nos ha prometido, la cual compartimos con Cristo' (Romanos 8.17). Y más adelante argumenta, en un hermoso pasaje final del capítulo 8 de Romanos, que los hijos de Dios están seguros eternamente, puesto que nada ni nadie puede separarlos de su amor.

Pero, ¿qué sucede si peco y cuando peco?, podría preguntar alguien. ¿No anula mi calidad de hijo? ¿Dejo de ser hijo de Dios? No. Pensemos en la analogía de una familia humana. Un hijo es terriblemente grosero con sus padres. Sobre el hogar desciende una nube. Hay tensión en la atmósfera. Se rompe la comunicación entre el padre y el hijo. ¿Qué ha sucedido? ¿El joven ha dejado de ser hijo? ¡No! Su relación no ha cambiado, pero su comunión ha quedado interrumpida. La relación depende del nacimiento; la comunión depende de la conducta. Tan pronto como el joven pide disculpas, es perdonado. Y el perdón restablece la comunión. Mientras tanto, la relación ha permanecido igual. El hijo pudo haber sido transitoriamente desobediente y aun atrevido; pero no por eso ha dejado de ser hijo.

Así sucede con los hijos de Dios. Cuando pecamos, no perdemos la relación que como hijos tenemos con él, aunque nuestra comunión se ve estorbada hasta que confesamos y abandonamos nuestro pecado. En cuanto 'confesamos nuestros pecados, podemos confiar en que Dios, que es justo, nos perdonará nuestros pecados y nos limpiará de toda maldad' (1 Juan 1.9), puesto que 'si alguno comete pecado, tenemos ante el Padre un defensor, que es Jesucristo, y él es justo. Jesucristo se ofreció en sacrificio para que nuestros pecados sean perdonados' (1 Juan 2.1–2). Así que no esperes hasta que llegue la noche, menos aún el domingo siguiente, para arreglar lo que ande mal durante cada día. Más bien, cuando caigas, ponte de rodillas, arrepiéntete y busca humildemente el perdón del Padre enseguida. Procura conservar limpia y sin manchas tu conciencia.

Para expresarlo de otra manera, sólo podemos ser justificados una vez, pero necesitamos ser perdonados cada día. Jesús dio a sus discípulos una ilustración de esto cuando les enjuagó los pies. Pedro le dijo que, además de lavarle los pies, le lavara también las manos y la cabeza. Pero Jesús le contestó: 'El que está recién bañado no necesita lavarse más que los pies, porque está todo limpio' (Juan 13.10). La persona que fuera invitada a una cena en Jerusalén, antes de salir de su casa se bañaba. Al llegar al hogar de su anfitrión, éste no le ofrecería otro baño: un esclavo lo esperaba a la puerta de calle para lavarle los pies. Así también, cuando nos acercamos a Cristo por primera vez en un acto de arrepentimiento y fe, recibimos un 'baño': —el baño de la justificación, exteriormente simbolizado por el bautismo. Este acto no necesita repetirse. Sin embargo, al transitar por las calles polvorientas de este mundo, constantemente necesitamos 'lavarnos los pies': —el lavamiento del perdón diario.

Responsabilidades cristianas

Ser hijo de Dios es un privilegio maravilloso, pero también origina ciertas obligaciones. Pedro lo sugiere cuando escribe: 'como niños recién nacidos, busquen con ansia la leche espiritual pura, para que por medio de ella crezcan y tengan salvación' (1 Pedro 2.2).

El gran privilegio del hijo de Dios es su relación con él; la gran responsabilidad es su crecimiento. A todo el mundo le agradan los niños, pero nadie en su sano juicio quiere verlos en un jardín de infantes toda la vida. Sin embargo, la tragedia es que muchos cristianos, habiendo nacido de nuevo en Cristo, nunca crecen. Otros hasta sufren de regresión infantil espiritual. El propósito de nuestro Padre celestial, por otra parte, es que los 'niños en Cristo' lleguen a la 'plena madurez de Cristo' (Efesios 4.13).

El nacimiento debe ser seguido por el crecimiento. La crisis de la justificación (nuestra aceptación por parte de Dios) debe llevarnos al proceso de la santificación (nuestro crecimiento en santidad), al cual se refiere Pablo.

Hay dos esferas principales en las cuales el cristiano debe crecer. La primera es el entendimiento y la segunda la santidad. Cuando iniciamos la vida cristiana, probablemente entendemos muy poco y apenas conocemos a Dios. Ahora tenemos que crecer en el conocimiento de Dios y de nuestro Señor y Salvador Jesucristo (Colosenses 1.10, 2 Pedro 3.18). Este conocimiento es en parte intelectual y en parte personal. En lo que corresponde al primero, quisiera animar al lector a que estudie no sólo la Biblia sino también buena literatura cristiana. El no crecer en entendimiento provoca graves peligros.

También tenemos que crecer en santidad de vida. El Nuevo Testamento menciona el desarrollo de nuestra fe en Dios, de nuestro amor hacia quienes nos rodean, y de nuestra semejanza con Cristo. Cada hijo de Dios anhela ser conformado más y más en su carácter y conducta al mismo Hijo de Dios. La vida cristiana es una vida de rectitud. Debemos esforzarnos por obedecer los mandamientos de Dios y cumplir su voluntad. El Espíritu Santo nos ha sido dado con este propósito. Él hace de nuestro cuerpo su propio templo. Él vive en nosotros. Y a medida que nos sometemos a su autoridad y acatamos su dirección, hace que su fruto —'amor, alegría, paz, paciencia, amabilidad, bondad, fidelidad, humildad y dominio propio' (Gálatas 5.22–23)— aparezcan en nuestra vida.

Todos los cristianos del mundo, cualquiera sea su nacionalidad o denominación, son ahora nuestros hermanos en Cristo.

Pero ¿cómo creceremos? Hay tres secretos principales relativos al desarrollo espiritual. Los tres constituyen a la vez las responsabilidades primordiales de un hijo de Dios.

Nuestro deber para con Dios

Nuestra relación con el Padre celestial, aunque segura, no es estática. Dios quiere que sus hijos crezcan en un conocimiento cada vez más íntimo de él. Muchas generaciones de cristianos han descubierto que la manera principal de lograr esto es acercarse diariamente a él, dando tiempo al estudio bíblico y a la oración. Esto es una necesidad indispensable para el cristiano que quiere progresar. Todos estamos excesivamente ocupados en esta época, pero de alguna manera tenemos que reajustar nuestro horario a fin de dar lugar a estas prioridades. Esto significa la aceptación de una rigurosa autodisciplina. Con ésta y con una edición comprensible de la Biblia y un reloj despertador que funcione, estamos en el camino a la victoria.

Es importante mantener el equilibrio entre la lectura bíblica y la oración, puesto que Dios nos habla por medio de la Escritura, mientras que nosotros le hablamos por medio de la oración. Así mismo es importante ser sistemático en lo que toca a la lectura de la Biblia. Hay varios métodos disponibles.[1] Antes de leer, ora pidiendo al Espíritu Santo que abra tus ojos e ilumine tu mente. Luego lee lentamente, meditando y pensando sobre lo que lees. Lee y relee el pasaje. Cava hondo hasta descubrir su significado. Haz uso de alguna versión moderna.[2] También puede serte de ayuda un comentario bíblico. Piensa además sobre cómo se aplica a tus propias circunstancias el mensaje del texto que has leído. Busca las promesas que debes hacer tuyas, los mandamientos que debes obedecer, los ejemplos que debes seguir y los pecados que debes evitar. Conviene tener a mano una libreta de apuntes a fin de anotar todo lo que uno aprende. Sobre todo, ocúpate de mirar a Jesucristo. Él es el tema central de la Biblia y por medio de ésta podemos encontrarnos con él personalmente, además de hallar su revelación.

La intención de Dios es que todo cristiano sea un testigo de Jesucristo.

La oración sigue como algo natural. Comienza respondiendo a Dios sobre el mismo tema respecto al cual te ha hablado. ¡No cambies la conversación! Si te ha hablado de sí mismo y de su gloria, adóralo. Si te ha hablado de ti y de tus pecados, confiésale. Agradécele por cualquier bendición que te haya revelado en el pasaje leído, y ora que tanto tú como tus amigos puedan aprender sus lecciones.

Después de haber orado según el pasaje bíblico, querrás seguir orando por otros asuntos. Si usas la Biblia como el primer auxiliar para la oración, tu diario será el segundo. Encomienda a Dios por la mañana todos los detalles del día que tienes delante de ti. Por la noche, repasa con él todo lo que has hecho, confesando los pecados cometidos, dándole gracias por todas las bendiciones recibidas e intercediendo por las personas con quienes te has entrevistado.

Dios es tu Padre. Mantén delante de él una actitud natural, confiada y osada. Él tiene interés en todos los detalles de tu vida. Muy pronto encontrarás que te es necesario hacer una lista de parientes y amigos por los cuales sientes la responsabilidad de orar. Conviene hacer la nómina lo más legible posible, de modo que se pueda agregar o quitar nombres con facilidad.

Nuestro deber para con la iglesia

La vida cristiana no es solamente un asunto privado de cada uno. Si hemos nacido de nuevo en la familia de Dios, entonces Dios se ha constituido en nuestro Padre celestial. Pero eso no es todo: los demás cristianos del mundo, cualquiera sea su nacionalidad o denominación, son ahora nuestros hermanos en Cristo. Uno de los nombres más comunes que el Nuevo Testamento da a los cristianos es el de 'hermanos'. Esta es una verdad gloriosa. Pero no basta sentirse miembro de la iglesia universal de Cristo: tenemos que pertenecer a alguna de sus congregaciones locales. Tampoco basta pertenecer a alguna asociación de jóvenes en la universidad o en algún otro lugar (aunque espero que seas activo en alguna de ellas). El lugar de cada cristiano está en la iglesia local, y debe participar en su adoración, comunión y testimonio.

Tal vez preguntes a qué iglesia debes unirte. Si ya estás relacionado con una iglesia, por haberte criado en ella o porque has estado asistiendo a sus reuniones últimamente, no conviene que cortes esa relación, a menos que tengas una razón de peso. Sin embargo, si estás en libertad de escoger la iglesia de la cual seas miembro, hay dos criterios que pueden guiarte. El primero tiene que ver con el pastor, el segundo con la congregación. Haz las siguientes preguntas: ¿Cuál es la actitud del pastor hacia la autoridad de la Biblia? ¿Trata de explicar su mensaje y relacionarlo a la vida contemporánea? Y en lo que atañe a la congregación, ¿por lo menos se aproxima a lo que debe ser una comunidad de creyentes que aman a Cristo, se aman mutuamente y aman a los demás?

El bautismo es la puerta de entrada a la sociedad cristiana visible. También tiene otros significados, como hemos visto, pero si tú no has sido bautizado, debes pedir al pastor o anciano de tu iglesia que te prepare para el bautismo. Luego, ingresa de inmediato a la comunidad cristiana. Habrá cosas que al principio te parecerán extrañas, pero no te quedes a un lado. La asistencia dominical a la iglesia es un claro deber cristiano y casi todas las ramas de la iglesia cristiana concuerdan en que la Santa Cena (o Cena del Señor) es el culto central de la iglesia instituido por Cristo para conmemorar su muerte, en comunión los unos con los otros.

¡Espero no haber dado la impresión de que la comunión con los hermanos en Cristo es un festín dominical únicamente! El amor con los demás cristianos, no obstante las dificultades aparentes, es una experiencia real y nueva. En una comunidad cristiana con personas de diferente formación y edad, se puede descubrir las profundidades de la amistad y la comunión mutua. Es inevitable que los amigos más allegados del cristiano sean otros cristianos. Especialmente, la compañera o el compañero para toda la vida deben serlo (2 Corintios 6.14).

Nuestro deber para con el mundo

La vida cristiana es un asunto familiar en el que todos los hijos disfrutan la comunión con su Padre y entre sí. Pero nadie piense, ni por un momento, que esto agota las responsabilidades del cristiano. Los cristianos no están llamados a constituir un círculo cerrado de personas que se admiran mutuamente y que no piensan sino en sí mismas. Por el contrario, cada cristiano debe estar profundamente preocupado por sus semejantes.

Y parte de su vocación cristiana es servir a éstos en todo cuanto esté a su alcance.

Históricamente la iglesia se ha distinguido por su labor a favor de los necesitados y los marginados: los pobres, los hambrientos, los enfermos, las víctimas de la opresión y la discriminación, los esclavos, los prisioneros, los huérfanos, los refugiados y los inadaptados. Todavía hoy en todo el mundo los seguidores de Cristo están tratando de aliviar toda suerte de sufrimientos y miserias en su nombre. Sin embargo, queda muchísimo por hacer. Y tenemos que confesar con vergüenza que a veces otros que no pretenden ser cristianos muestran más compasión que los que decimos conocer a Cristo.

Una reposabilidad especial de los cristianos es la de 'evangelizar', es decir, difundir las buenas nuevas acerca de Jesucristo.

Hay otra responsabilidad especial de los cristianos para con el 'mundo' (para usar el término con que la Biblia se refiere a quienes no conocen a Cristo ni pertenecen a su iglesia): la evangelización. 'Evangelizar' es, literalmente, difundir las buenas nuevas acerca de Jesucristo. Todavía hay millones de personas que jamás han oído hablar ni de Jesucristo ni de su salvación. Parecería que la iglesia ha estado dormitando por siglos. ¿Será la generación presente la generación en que los cristianos despierten y ganen el mundo para Cristo? Tal vez él tenga una tarea especial para ti, específicamente en el ministerio pastoral o como misionero. Si todavía eres estudiante, sería una equivocación dar un paso precipitado. Pero trata de descubrir la voluntad de Dios para tu vida, y ríndete a ella.

No todo cristiano ha sido llamado a ser pastor o misionero, pero la intención de Dios es que todo cristiano sea un testigo de Jesucristo. Su responsabilidad solemne es llevar una vida caracterizada por la autenticidad, el amor, la humildad, la honradez a la manera de Cristo y tratar de ganar a otros para el Señor, sea en su propio hogar, o entre sus compañeros de estudios o de trabajo. Para ello, se mostrará discreto, humilde y cortés, pero decidido.

La manera de empezar es orando. Pide a Dios que te dé una preocupación especial por uno o dos de tus amigos. Por lo general conviene limitarse a personas del mismo sexo y más o menos de la misma edad. Luego ora de manera regular y definida por la conversión de esas personas; fomenta su amistad como un fin en sí; dales tiempo y ámalas de verdad. Muy pronto se dará la oportunidad de llevarlas a alguna reunión donde puedan escuchar una explicación del evangelio, o de ofrecerles literatura cristiana para que lean, o de contarles sencillamente lo que Cristo Jesús significa para ti y cómo lo encontraste. Casi no necesito decir que nuestro testimonio más elocuente no tendrá ningún efecto si no está respaldado por nuestra conducta, y nada tiene tanta influencia favorable hacia Cristo como una vida que él obviamente está transformando.

Ahora nos llama a seguirlo, a entregarnos a su servicio completamente y sin reservas.

Estos son los grandes privilegios y responsabilidades del hijo de Dios. Nacido en la familia de Dios y gozando con su Padre celestial una relación que es íntima, cierta y segura, trata de disciplinarse diariamente en el estudio de la Biblia y la oración, es leal a la iglesia a la cual pertenece y activo en el servicio y el testimonio cristiano.

Esta descripción de la vida cristiana revela la tensión a la cual todos los cristianos están sometidos. En resumen, somos ciudadanos de dos reinos, el uno terrenal y el otro celestial. Y cada ciudadanía nos impone deberes que no podemos eludir.

Por un lado, el Nuevo Testamento pone énfasis en nuestras obligaciones hacia el estado, el trabajo, la familia y la sociedad en general. La Biblia no permite que nos excluyamos de estas responsabilidades para dedicarnos al misticismo, al monasticismo o aun a la comunión aislada del mundo.

Por otro lado, algunos autores del Nuevo Testamento nos recuerdan que somos 'extranjeros' y 'exilados' en la tierra, que somos 'ciudadanos del cielo', y que estamos en camino hacia nuestro hogar eterno (véase, por ejemplo, 1 Pedro 2.11; Filipenses 3.20; 2 Corintios 4.16–18). Consecuentemente, no debemos amontonar riquezas aquí en la tierra, ni dedicarnos a ambiciones puramente egoístas, ni dejarnos asimilar por el estilo de vida del mundo, ni afligirnos indebidamente con las preocupaciones de la vida presente.

Es relativamente fácil eliminar esta tensión escondiéndonos en Cristo y olvidándonos del mundo, o comprometiéndonos con el mundo y olvidando a Cristo. Sin embargo, ninguna de estas soluciones es genuinamente cristiana, ya que ambas implican la negación de una u otra de nuestras obligaciones cristianas. El cristiano equilibrado que hace de las Escrituras su guía tratará de vivir igualmente y a la vez 'en Cristo' y 'en el mundo'. No puede evadir ninguna de las dos realidades.

Esta es la vida del discipulado a la cual nos llama Jesucristo. Él murió y resucitó para que nosotros pudiéramos llevar una vida nueva. Nos da su Espíritu para que podamos vivir como cristianos en el mundo.

Ahora nos llama a seguirlo, a entregarnos a su servicio completamente y sin reservas.

Guía de estudio 11
Ser cristiano

Propósito Crear un espacio para la reflexión acerca de los privilegios y responsabilidades que implican el ser cristiano.

Preguntas

1. ¿Cómo responde la Biblia a la pregunta: '¿Son todos los hombres hijos de Dios?, ¿Qué significa ser 'hijo de Dios'?

2. ¿En qué consiste el 'privilegio singular' de ser cristiano (página 208)?

3. ¿Cuál es la base de nuestra relación con Dios (página 210)?

4. ¿En qué se basa el autor para aseverar que la relación del cristiano con Dios es real? ¿Cómo podemos estar seguros de esa relación (páginas 210–212)? Si un día nos despertamos y no nos *sentimos* salvos, ¿habrá cambiado nuestra posición frente a Dios?

5. ¿Por qué la iglesia católicoromana niega la doctrina de la seguridad de la salvación?

6. ¿Qué sucede cuando el cristiano peca (página 213)?

7. ¿Qué quiere decir el autor cuando sostiene que la gran responsabilidad del cristiano es su crecimiento (página 214)? ¿En qué aspectos principales debemos crecer (página 214–215)?

8. ¿Cuáles son los 'tres secretos principales relativos al desarrollo espiritual' (página 215–216)? ¿Qué importancia tienen en nuestra vida cada uno de ellos?

9. ¿Qué lugar tiene la disciplina en la vida cristiana?

10. ¿Por qué es importante pertenecer a una iglesia local? ¿Cuáles son los criterios que menciona Stott que deben tenerse en cuenta al decidir a qué iglesia puede uno integrarse como miembro (página 217–218)?

11. Mencionemos algunas maneras en las que podemos servir a nuestros semejantes. Compartámoslas con los demás miembros del grupo.

12. ¿Cuál es nuestra meta principal como cristianos?

Para seguir leyendo

No tengo tiempo para orar, Bill Hybels, Certeza Unida, 2001.

Discipulado auténtico 1 y 2, Lourdes Cordero y Felicidad Hougthon, Lámpara, 1999.

Oración: Un diálogo que cambia vidas, John White, Certeza Argentina, 2005.

Cristianismo vital, Juan Solé Herrera, Andamio, 1993.

La comunidad del Rey, Howard Snyder, Kairós, 2005.

Discipulado 1 y 2, José Young, Ediciones Crecimiento Cristiano.

Notas

Capítulo 1

[1] P. Carnegie Simpson: *The fact of Christ*, 1930; James Clarke, 1952, páginas 23–24.

Capítulo 2

[1] Para un estudio de este tema, ver el libro de F.F. Bruce: *¿Son fidedignos los documentos del Nuevo Testamento?*, Caribe, 1957.

[2] Juan 8.19; 14.7; 12.45; 14.9; 12.44; 14.1; Marcos 9.37; Juan 15.23; 5.23.

[3] P. T. Forsyth: *This life and the next*, Independent Press, 1947.

[4] C. S. Lewis: *Miracles*, Bles, 1947.

Capítulo 3

[1] Citado por W. H. Griffith Thomas: *Christianity is Christ*, 1909; Church Book Room, 1948, página 15.

[2] P. Carnegie Simpson: *The fact of Christ*, 1930; James Clarke, 1952, páginas 19–22.

[3] Tennyson, citado por Carnegie Simpson, página 61.

[4] James Denney: *Studies in theology*, Hodder and Stoughton, 9ª edición, 1906, página 41.

Capítulo 4

[1] Nuestro problema aquí no es el nacimiento virginal de Jesús, puesto que el Nuevo Testamento no usa este acontecimiento para demostrar su mesianidad o su deidad, como sucede con la resurrección. El caso del nacimiento virginal ha sido discutido

a fondo por James Orr (*The virgin birth of Christ*, Hodder & Stoughton, 1907) y J. Gresham Machen (*The virgin birth*, Marshall, Morgan & Scott, 1936).

[2] Para hacerlo seguimos a Henry Letham, que fue preceptor en la Universidad de Cambridge y que escribió un tratado detallado y minucioso sobre el asunto: *The risen Master*, Leighton Bell, 1904.

[3] La referencia a los lienzos usados para el sepelio en el caso de Lázaro muestra claramente que esta es la costumbre. Cuando Jesús lo resucitó, 'el muerto salió, con las manos y los pies atados con vendas y la cara con una tela' (Juan 11.44).

[4] Hechos 10.41; Juan 20.11–18; Marcos 16.9; Mateo 28.9; Lucas 24.34; 1 Corintios 15.5; Lucas 24.13–35; Marcos 16.12–13; Lucas 24.36,42; Juan 20.19–23; 20.24–29; Marcos 16.14; 1 Corintios 15.6; Mateo 28.16–20; 1 Corintios 15.7; Juan 21.1–23; Lucas 24.50–53; Hechos 1.6–12; 1 Corintios 15.8; Hechos 1.3.

Capítulo 5

[1] 'Thou shalt not kill', but need'st not strive
Officiously to keep alive;
'Thou shalt not steal' —an empty feat
When it's more lucrative to cheat.

(Texto original)

Capítulo 6

[1] It is not finished, Lord,
There is not one thing done,
There is no battle of my life
That I have really won.
And now I come to tell thee
How I fought to fail,
My human, all too human, tale
Of weakness and futility.

(Studdert Kennedy, texto original)

[2] *Christianity and social order*, 1942; SMC, 1950, páginas 36–37.

[3] Love ever gives,
Forgives, outlives,
And ever stands with open hands,
And while it lives it gives.
For this is love's prerogative,
To give —and give— and give.

(Texto original)

Capítulo 8:

[1] La expresión 'la carne', que se usa en la *Versión Reina-Valera*, traduce el texto griego literalmente. La versión *Dios Habla Hoy* interpreta 'la carne' como 'la naturaleza humana' y 'los deseos de la carne' como 'los malos deseos' (Nota del traductor).

[2] And every virtue we possess
and every victory won,
And every thought of holiness,
Are His alone.

Spirit of purity and grace,
Our weakness, pitying, see;
O make our hearts Thy dwelling-place,
And worthier Thee!

(Texto original)

Capítulo 9

[1] Este soneto que pertenece a la lírica castellana del siglo XVI reemplaza adecuadamente al poema inglés que aparece en el original.

Capítulo 11

[1] Para la lectura bíblica, la meditación y el estudio, los siguientes títulos son acompañantes valiosos: *Conoce a Jesús*, *Conoce los Salmos de David*, *Pelearán pero no te vencerán*, *Venid a las aguas* (Certeza Argentina); *Esta mañana con Dios: Guía devocional sistemática* (Andamio); *Discipulado auténtico* (Lámpara).

[2] De las muchas versiones de la Biblia puestas en circulación en los últimos años, para el estudio bíblico recomendamos *La Nueva Versión Internacional*, 1995; *La Reina Valera*, 1995 y *La Biblia de Estudio: Dios Habla Hoy*, 1994, de las Sociedades Bíblicas Unidas. Hay versiones especiales con notas explicativas, índice temático y otras ayudas para el estudio. El *Nuevo Diccionario Bíblico Certeza*, Certeza Unida, proveerá información y profundidad adicional. (Los editores.)

Editoriales de la Comunidad Internacional de Estudiantes Evangélicos (CIEE) apoyan esta publicación de Certeza Unida:
Andamio, Alts Forns 68, Sótano 1, 08038, Barcelona, España.
editorial@publicacionesandamio.com
www.publicacionesandamio.com
Certeza Argentina, Bernardo de Irigoyen 654,
(C1072AAN) Ciudad Autónoma de Buenos Aires, Argentina.
certeza@certezaargentina.com.ar
Lámpara, Calle Almirante Grau Nº 464, San Pedro,
Casilla 8924, La Paz, Bolivia. *coorlamp@entelnet.bo*

A la CIEE la componen los siguientes movimientos nacionales:

Asociación Bíblica Universitaria Argentina (ABUA)
Comunidad Cristiana Universitaria, Bolivia (CCU)
Aliança Bíblica Universitária do Brasil (ABUB)
Grupo Bíblico Universitario de Chile (GBUCH)
Unidad Cristiana Universitaria, Colombia (UCU)
Estudiantes Cristianos Unidos, Costa Rica (ECU)
Grupo de Estudiantes y Profesionales Evangélicos Koinonía, Cuba
Comunidad de Estudiantes Cristianos del Ecuador (CECE)
Movimiento Universitario Cristiano , El Salvador (MUC)
Grupo Evangélico Universitario, Guatemala (GEU)
Comunidad Cristiana Universitaria de Honduras (CCUH)
Compañerismo Estudiantil Asociación Civil, México (COMPA)
Comunidad de Estudiantes Cristianos de Nicaragua (CECNIC)
Comunidad de Estudiantes Cristianos, Panamá (CEC)
Grupo Bíblico Universitario del Paraguay (GBUP)
Asociación de Grupos Evangélicos Universitarios del Perú (AGEUP)
Asociación Bíblica Universitaria de Puerto Rico (ABU)
Asociación Dominicana de Estudiantes Evangélicos (ADEE)
Comunidad Bíblica Universitaria del Uruguay (CBUU)
Movimiento Universitario Evangélico Venezolano (MUEVE)

Oficina Regional de la CIEE: c/o ABUB, Caixa Postal 2216, 01060-970 São Paulo, SP, Brasil.
cieeal@cieeal.org* | *secregional@cieeal.org* | *www.cieeal.org

SOBRE LA ROCA JOHN STOTT

Una invitación al discipulado

Sobre la Roca

Cómo crecer en la vida cristiana

Una guía para crecer en la vida cristiana.

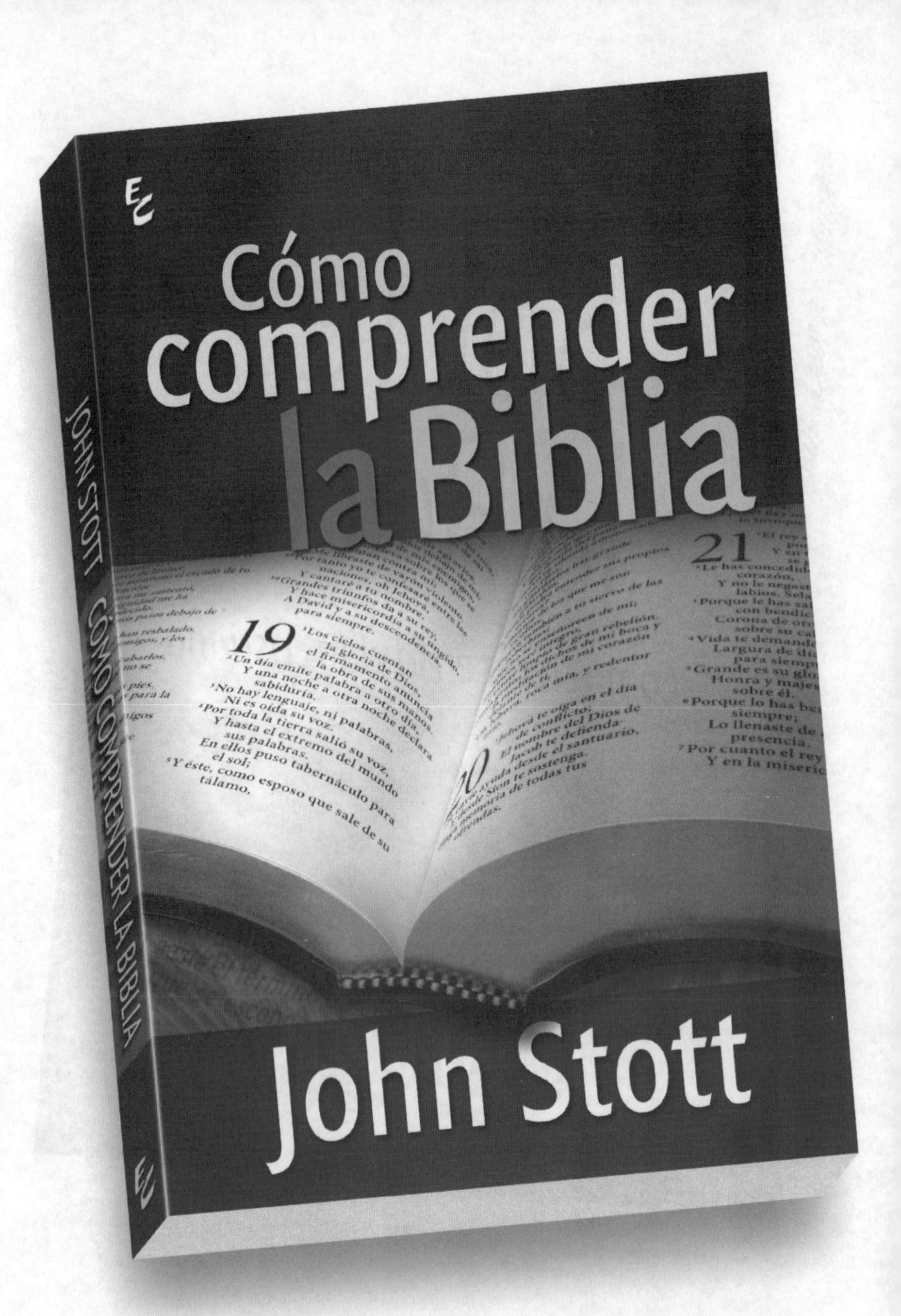
Cómo
comprender
la Biblia
John Stott
JOHN STOTT CÓMO COMPRENDER LA BIBLIA

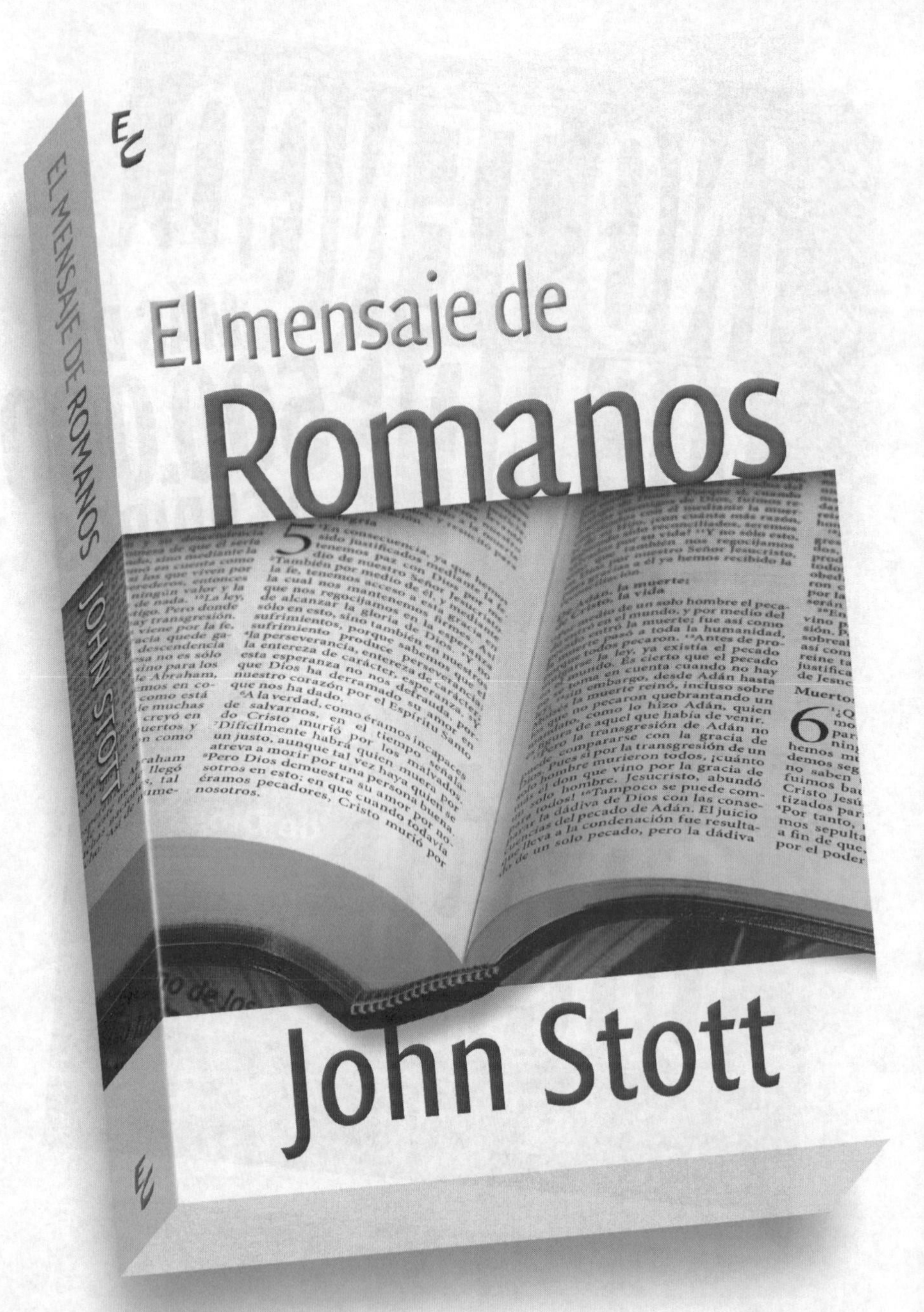
EU
EL MENSAJE DE ROMANOS
JOHN STOTT
El mensaje de
Romanos
John Stott

EL MENSAJE DE EFESIOS
JOHN STOTT
El mensaje de
Efesios
John Stott

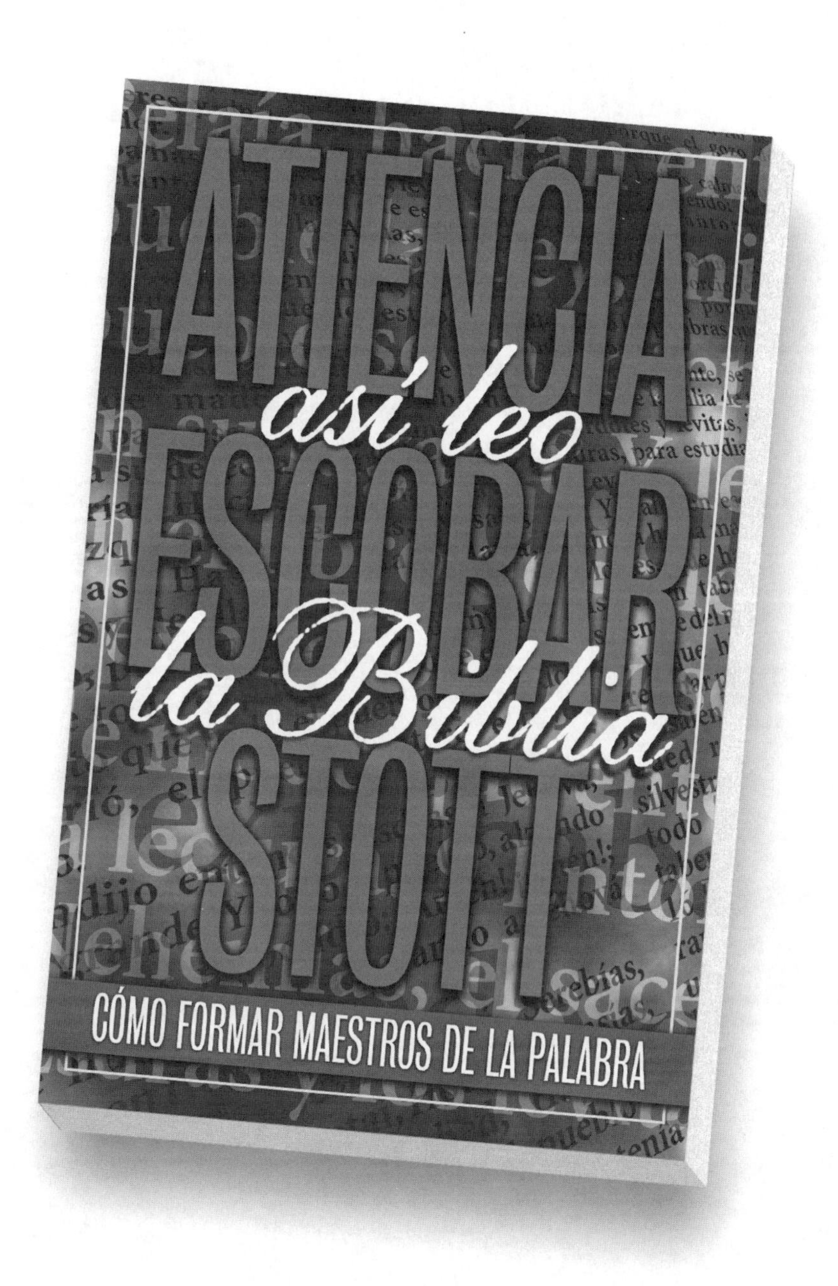

Cómo escuchar a Dios a través de la Palabra.

Esta edición se terminó de imprimir
en Editorial Buena Semilla,
Carrera 31, nº 64 A-34, Bogotá, Colombia,
en el mes de mayo de 2007.